GENIOS
◆ DEL ◆
ARTE

PICASSO

◆

GENIOS
◆ DEL ◆
ARTE

PICASSO

susaeta

Coordinación científica:
Juan-Ramón Triadó Tur
Profesor Titular de Historia del Arte
de la Universidad de Barcelona

Textos:
María José Mas Marqués
Licenciada en Historia del Arte

Diseño de portada:
Paniagua & Calleja

SUMARIO

En los albores

Pablo Ruiz Picasso nació en Málaga el 25 de octubre de 1881, a las 23,15, según testimonia el acta de su nacimiento. Se le impusieron los nombres de Pablo, Diego, José, Juan Nepomuceno y Cipriano de la Santísima Trinidad. Al ser bautizado el 10 de noviembre en la iglesia parroquial de Santiago, se le añadió un nombre más, el de María de los Remedios. Su padre, José Ruiz Blasco, malagueño, era pintor y profesor de la Escuela de Artes y Oficios y, eventualmente, conservador del incipiente Museo Municipal. Su madre, también malagueña, era María Picasso López.

Al nacer, estuvo a punto de morir de asfixia, pero por lo demás, su infancia transcurrió con la normalidad propia de una familia burguesa. Picasso conservaría escasos recuerdos de su Málaga natal. Entre ellos que aprendió a caminar empujando una caja de galletas Olivet; que iba a una escuela en la que se aburría mucho, aunque le permitían llevar una paloma... Su única obsesión era pintar, dibujar y escuchar las conversaciones sobre arte que mantenían los amigos de su padre. A esa época infantil pertenecen una vista del puerto y un picador en la plaza de toros.

En 1891 la familia se trasladó a La Coruña y allí permaneció durante cuatro años. Picasso asistió a las clases del Instituto de Segunda Enseñanza y, a partir de 1893, a la Escuela de Bellas Artes. En 1893 el niño realizaba, escribía y dibujaba una a modo de revista que tituló *Asul y Blanco* (sic), y al año siguiente otra, también manuscrita, *La Coruña*. Ese año empezó a dibujar en cuadernos y a fechar sus dibujos. Asimismo, realizó al óleo el retrato de sus padres. Unos meses después pintó *La muchacha de los pies descalzos* y *El mendigo de la gorra*, el segundo firmado y fechado en 1894; ambos revelan las dotes de observador del pintor adolescente. Posterior en unos meses es *El viejo pescador*.

El pintor barcelonés

José Ruiz consiguió el traslado a Barcelona, gracias a un intercambio que realizó con otro profesor que deseaba trasladarse a Galicia. Pero antes de abandonar La Coruña, preparó una exposición de pinturas de su hijo en la trastienda de un establecimiento de la calle Real, que en la actualidad tiene el número 54. Al finalizar el curso, la familia viajó hacia Madrid, donde Picasso visitó el Museo del Prado por vez primera y, después de pasar las vacaciones de verano en Málaga, se embarcarían todos rumbo a Barcelona, a donde llegaron el 21 de septiembre de 1895.

Picasso aprobó el examen de ingreso en el curso superior de la Lonja, en donde se impartía arte clásico y bodegones. En Barcelona se le abriría un horizonte nuevo, muy diferente a cuanto había conocido en Málaga o La Coruña. En la Ciudad Condal se debatía el Modernismo, era una ciudad burguesa e industrial con una importante masa de población marginada y que se encaminaba hacia la

Autorretrato «Yo, Picasso»
1901, óleo sobre lienzo, 73,5 × 60,5 cm
Colección particular

Podríamos establecer un paralelismo entre este cuadro (primavera de 1901) y el Gran autorretrato azul, *que cierra la etapa de París. En aquél hay una cierta insolencia en la mirada, en el segundo, hay cansancio; Picasso va a la conquista de París y regresa derrotado y hambriento. En todo ello hay un proceso de maduración, no sólo de la obra sino también del individuo.*

Estudio académico
1896, óleo sobre lienzo, 82 × 61 cm
Barcelona: Museo Picasso

Pablo Picasso realizó infinidad de dibujos académicos durante el tiempo que estuvo matriculado en las Escuelas Superiores de Pintura, Escultura y Grabado de la Escuela Oficial de Bellas Artes de Barcelona. En el curso 1895-1896, constaba con el número 108 y, en total, figuraban inscritos 128 alumnos para el conjunto de las especialidades.

crisis social y política. Era una capital cosmopolita muy alejada de las otras ciudades españolas.

El joven artista se formó, pintó, dibujó y, con pocos años de aprendizaje, empezó a conseguir un cierto reconocimiento. En 1896 realizó *La primera comunión*, *Monaguillo*, *Retrato de la tía Pepa*, presentando el primero a la III Exposición de Bellas Artes e Industrias Artísticas que se celebró en Barcelona entre abril y julio de 1896. Se trataba de una obra muy estudiada, pero concebida como un «fragmento de vida», con los elementos, el virtuosismo y el simbolismo indispensables. La exposición era un acontecimiento importante en la vida cultural de la ciudad y el mero hecho de figurar en ella a edad tan temprana, fue un triunfo. Miquel i Badia escribió en el *Diario de Barcelona* del 25 de mayo el siguiente juicio sobre la obra:

La primera comunión
1896, óleo sobre lienzo, 166 × 118 cm
Barcelona: Museo Picasso

No es éste el único lienzo de Picasso sobre temática religiosa. De esta misma época data El Monaguillo, *realizado en el estudio del profesor Garnelo y que, como el que nos ocupa, demuestra lo sujeto que se sentía a las enseñanzas del maestro, algo lejanas a sus inquietudes de mayor libertad, como nos muestran diversas notas del mismo período.*

«La primera comunión de Pablo Ruiz Picasso, obra de un bisoño, en la cual se advierte sentimiento en los personajes principales y trozos apuntados con firmeza.» Ese mismo año realizaría un retrato academicista de su padre: *Retrato de don José Ruiz Blasco, padre del artista,* y un *Autorretrato con la greña rebelde,* nada académico y quizá sin terminar, que indica un cambio importante: la liberación del anecdotismo verista con predominio de la pincelada académica, acercándose a lo que podría denominarse expresionismo catalán de finales y principios de siglo.

En 1896 la familia Ruiz Picasso se trasladó de su primer domicilio, sito en la calle Llauder de los Porxos d'en Xifré, a la calle de la Mercè, número 3, 2.º-1.ª, cerca de la Lonja y muy próxima a la plaza de Medinaceli, domicilio definitivo de la familia y adonde Picasso regresaría una y otra vez desde su residencia de París.

Ciencia y caridad
1897, óleo sobre lienzo, 197 × 249,5 cm
Barcelona: Museo Picasso

En un primer momento se tituló La visita
a la enferma. *Parece que para
representarla se eligió a una pobre que
mendigaba con un niño en brazos.
La monja (caridad) es un adolescente
disfrazado con un hábito prestado por las
hermanas de San Vicente; el médico
(ciencia) fue, una vez más, Don José,
modelo permanente del pintor por aquellos
años.*

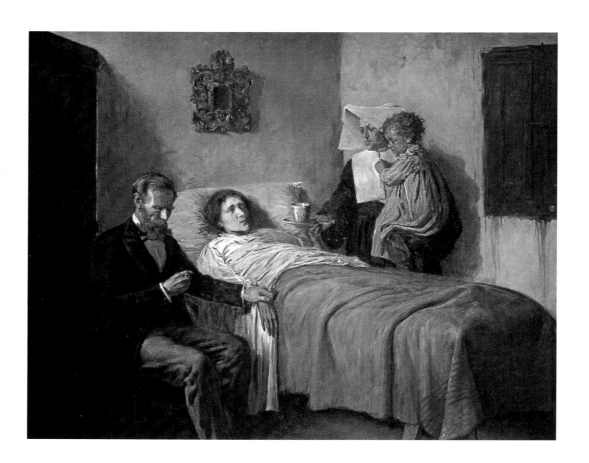

Por esas fechas también consiguió su primer estudio de pintor en el número 4 de
la calle de la Plata, muy cerca de donde vivía su buen amigo Manuel Pallarés, con
quien lo compartió. Picasso contaba 14 años y Pallarés era el primer amigo que
tenía en Barcelona y quien lo llevaría a Horta de Ebro a pasar el verano.

Para la Exposición de Bellas Artes de Madrid de 1897, pintó *Ciencia y caridad*,
que obtendría una Mención Honorífica el 8 de junio.

Sabemos por el propio Picasso que durante el verano de 1897 no se instalaron
en casa de su tío Salvador en Málaga, como dos años antes, sino que alquilaron un
piso. Este traslado constituyó para la familia un viaje triunfal, puesto que Pablo, a
sus 15 años, acababa de obtener una Mención Honorífica. Don José, aconsejado
por el tío Salvador, decidió enviar a Pablo a estudiar a Madrid, a la Real Academia
de Bellas Artes de San Fernando, donde impartía sus clases su admirado pintor
y amigo Muñoz Degrain. En Madrid, Picasso pintaría poco, pero dibujó mucho y
realizó numerosas versiones del parque de El Retiro, en armónicos tonos de ocres,
así como copias de los pintores clásicos en el Museo del Prado (Velázquez, Goya y
algunas cabezas del Greco). Puede decirse que estos dibujos marcan el fin de su aca-
demicismo y la formulación de nuevas inquietudes. Camilo José Cela, en el número 49 de los *Papeles de Son Armadans*, se refiere a las copias de los grandes maestros
realizadas por Picasso en estos términos: «Velázquez, Goya y, cosa insólita, el
Greco, cuya actual valoración y comprensión no se había producido todavía.» Sin
embargo, el entusiasmo por el Greco se había despertado en Picasso en Barcelona,
sobre todo, contagiado por Rusiñol, quien había comprado dos originales en París
y que causaban admiración en Sitges. De esta etapa madrileña se conservan unos
cuadernos, el *Carnet Madrid* con apuntes, copias y algunas pruebas, como *Dibujo
osario*, con una técnica bautizada más tarde en Barcelona con el nombre de *Los
negros*, que consiste en la franca expresión del carboncillo que subraya las siluetas
de las cosas. Este es un movimiento que se data, generalmente, a comienzos del
siglo XX y, de ser así, Picasso, una vez más, se adelantó a sus contemporáneos
creando un precedente significativo de lo que veremos profusamente ilustrado en los

dibujos de Nonell. Estos meses en Madrid fueron muy duros para Picasso: el invierno, las privaciones, las contrariedades (su tío Salvador le había retirado la paga, por lo que él calificaba de mala conducta, y Pablo contaba únicamente con la asignación paterna) y el pesimismo reinante con motivo de la guerra de Cuba, invadieron su ánimo. Pablo enfermó de escarlatina y en ese momento fue cuando, probablemente, decidió regresar a Barcelona.

Al cabo de unas semanas marchó con Pallarés a Horta de Ebro, donde dibujó repetidamente las montañas de Santa Bárbara que rodean el pueblo, la ermita de San Antonio del Tossal, así como innumerables bocetos y apuntes de pastores, árboles, mulos, cabras salvajes, y el lienzo del *Mas del Quinquet*, cercano a la cueva del Maestrazgo, donde se instalaron huyendo del calor de Horta. Transcurrido el verano, permanecieron en el pueblo hasta febrero de 1899.

Ciencia y caridad
Detalle

La monja sostiene en brazos a un niño que, posiblemente, nos quiere dar a entender que se trata del hijo de la enferma. Esta obra representa, quizás, el último esfuerzo dentro de la línea de la carrera que a buen seguro el padre de Picasso había planificado para él: una carrera de honores, medallas, encargos oficiales, un sillón en la Academia...

El círculo modernista

Picasso dejó la Lonja y empezó a frecuentar el taller libre del Círculo Artístico. El Modernismo había estallado y Rusiñol y Casas hicieron llegar una bocanada de aire fresco desde París. Reinaba un espíritu de rebelión y libertad, y Picasso descubrió en ese movimiento una capacidad de vivencia que no había podido ni soñar dentro del mundo académico en el que militaba su padre.

El 12 de junio de ese mismo año tuvo lugar en Barcelona un acontecimiento de importancia fundamental para la vida artística y cultural: la inauguración del establecimiento conocido como «Els 4 Gats» en la planta baja de la Casa Martí de Puig i Cadafalch, sita en la esquina de la calle Montsió con el pasaje del Patriarca. Se trataba de una recreación del «Chat Noir» de París y lo fundó Pere Romeu por inspiración de Miquel Utrillo y Ramon Casas y con la protección de Santiago Rusiñol, que lo definió como «gótica cervecería para los enamorados del Norte».

A los 16 años el joven pintor preparó la primera exposición de su vida (con el solo precedente de sus obras de infancia en La Coruña), integrada por los retratos

Els Quatre Gats (Menú impreso)
1899-1900, lápiz conté sobre papel, 43 × 31 cm
Barcelona: Museo Picasso

En este dibujo nos narra cómo los barceloneses se distraían animadamente a las puertas del local. Vemos sombreros de copa, plastrones, botines y una flor en el ojal en el personaje situado en la primera mesa. Se trata de una estilización modernista, basada en el poder del arabesco, de las líneas sinuosas y de las masas de tinta plana.

de sus contertulios de Els 4 Gats, que se celebró en la cervecería. Esta muestra estaba inspirada en la serie de retratos de catalanes realizada por Ramon Casas, quien estaba influido a su vez por Toulouse-Lautrec, entre otros. La exposición de los dibujos de sus contertulios tenía un cierto carácter revolucionario. En lugar de representar a los poderosos, los consagrados, los sabios, Picasso dibujó a sus compañeros. Con motivo de esta muestra apareció en *La Vanguardia* la primera crítica sobre el artista. En la revista *Quatre Gats* se habló de Picasso y también en su sucesora *Pèl & Ploma*. El joven artista, íntimamente identificado con el local, dibujó los menús de 1900 con virtuoso arabesco y tintas planas dentro de la estética japonizante que predominaba en la época.

En Els 4 Gats tendrían lugar numerosas exposiciones hasta su cierre en 1903. Por allí desfilaron las obras de Regoyos y Nonell (1898), Ramón Pichot, Xavier Gosé, Eveli Torrent, Josep Dalmau (1899), Carlos Vázquez, Casagemas, Picasso (1900…), actividad que se completaba con eventos musicales y literarios. En este marco Picasso intensificó su amistad con Nonell, Casagemas, Manolo Hugué, Sabartés, Reventós y otros, y entró en el conocimiento directo de la pintura francesa de Toulouse-Lautrec, de los dibujos e ilustraciones de Steinlen, y los cambios

Pierrot y bailarina
1900, óleo sobre lienzo, 38 × 46 cm
Sutton Place: Colección particular

Picasso comienza ya a describirnos los ambientes y los personajes que poblarán sus lienzos y sus cuadernos de notas de este primer viaje a París. El ambiente festivo, la pícara bailarina y el ingenuo Pierrot, al que pronto veremos acompañado de arlequines y personajes circenses, forman parte de la vorágine que poblaba los cabarets de París.

Corrida de toros
*1901, óleo sobre cartón sobre lienzo,
49,5 × 64,7 cm
Colección particular*

La temática taurina ha sido tratada por el
artista a lo largo de toda su vida con muy
diversas técnicas, que van desde el dibujo a
la cerámica, pasando por la escultura, el
óleo y el grabado. La representación de la
plaza inundada de sol contrasta de modo
evidente con el tenebrismo de la etapa
anterior.

se aprecian en obras magníficas, como *Lola, la hermana del artista*, realizada en carboncillo y lápices de color sobre papel.

Picasso siguió frecuentando Els 4 Gats, pero también deseaba escapar a su estrecho círculo y se dedicó a realizar un inventario tanto de la vida barcelonesa de la calle, calurosa y animada, como de la corrida, una de las temáticas preferidas de Picasso a lo largo de toda su trayectoria y de la que firmó, en esta etapa, obras realizadas en pastel mezclado, en ocasiones, con óleo o *gouache*. Son obras coloristas, típicas de su ambiente, en las que en ocasiones aparece la tragedia de la fiesta. De ellas cabe mencionar: *Corrida de toros*, *La corrida* y *Escenas de corrida (Las víctimas)*. Estos espectáculos al aire libre, con la plaza inundada de sol, contrastan vivamente con el tenebrismo anterior, y con otras obras en las que la ventana, abierta o cerrada, es la protagonista, o en aquellas en que lo es una cámara mortuoria. A Picasso le interesaba de forma especial la incidencia de la luz en los objetos, paisajes o personajes, y las variantes expresivas que éstos adquieren según sea la manera en que se utiliza el color. En *Ventana*, el interior de la habitación está en penumbra y el único elemento visible es el luminoso paisaje que se divisa tras la ventana cerrada. Este efecto de contraste producido por el contraluz queda intensificado por la forma en que depositó la pintura sobre el lienzo: pinceladas rápidas, enérgicas, que descuidan los pormenores, realzan la textura y unifican la forma y el color.

Se estrechó su amistad con Carlos Casagemas (1880-1901), con quien compartió estudio en 1900 en el número 17 de la riera de Sant Joan, y con quien antes de ir a París, fue a Sitges y a Badalona en la primavera de este mismo año de 1900, que sería el de máxima intimidad entre los dos amigos. Sitges y sus fiestas modernistas estaban muy en boga y Picasso y Casagemas iban a visitar el Cau Ferrat. En Badalona iban al cementerio (temática todavía modernista), en busca de rincones para pintar. La personalidad taciturna de Casagemas inquietaba, sin duda, a Picasso, quien le presentó a Rosita, su preferida en aquella época, quizá con el deseo de que ella ayudase a levantar el ánimo de su amigo. En el dibujo *Picasso presentando Casagemas a Rosita* se puede observar el aspecto taciturno del joven.

Primer viaje a París

La Exposición Universal de París, inaugurada el 14 de abril de 1900, atrajo, desde el primer momento, a muchos barceloneses, entre ellos a los que frecuentaban Els 4 Gats, con Pere Romeu a la cabeza. La revista *Pèl & Ploma* dedicó varios números al acontecimiento. El Grand y el Petit Palais se inauguraron con este motivo.

El abrazo
1900, pastel sobre papel, 59 × 35 cm
Barcelona: Museo Picasso

Picasso parece sorprendido por el hecho de que las parejas se besen en la calle, algo nada habitual en la España del momento, e, inmediatamente, nos lo narra. Comenzamos a observar la hipersensibilidad de la retina del artista y su fascinación por cuanto le rodea. Advertimos, también, la verticalidad de las líneas que envuelven a la pareja en un cierto aire de misterio.

El puente de Alejandro III se acabó para la ocasión. La Torre Eiffel ya era una realidad y en julio fue inaugurada la nueva estación de Orsay, así como la primera línea de metro, que iba de Neuilly a Vincennes.

La Exposición Universal se clausuró el 12 de noviembre, y un mes antes Picasso y Casagemas emprendieron viaje a París, llegando a la estación de Orsay. Tras dirigirse a Montparnasse, donde vivían otros pintores, finalmente se instalaron en el estudio que dejó Nonell. Posteriormente, Pallarés se reuniría con ellos en la rue Gabrielle.

Se ha dicho que Picasso visitaba la galería de Berthe Weill, que ella le compró tres pasteles de tema taurino y que allí conoció a Pere Mañac, el joven marchante que introdujo en París a una serie de nombres nuevos. Otra versión señala que fue Nonell quien le presentó a Mañac. Sea como fuere, la relación entre ambos reviste una especial importancia, puesto que el marchante se interesó de inmediato por la pintura de Picasso y le ofreció 150 francos mensuales a cambio de su producción, cosa que para Picasso significaba la independencia económica.

Durante los más de dos meses de su estancia en París, la producción de Picasso evolucionó de la luz a la sombra, de la policromía exaltada a los colores nocturnos, del aire libre a los espacios cerrados. La policromía está en consonancia con la serie de abrazos: *El abrazo, Abrazo en la mansarda, El abrazo bestial, La fusión en el abrazo* y *Fauno violentando a una joven*, todos ellos de 1900, en los que nos sorprende la violencia, la furia de los amantes, de su actitud, del gesto. Están a dos pasos de la distorsión. Las líneas verticales recorren a los personajes de arriba abajo y Picasso, en lugar de describir el momento, como hace Degas, participa en la descripción.

En París, Picasso se sintió atraído por la temática en boga de los pintores de la bohemia: escenas de café, cabaret, teatros, *toilettes*, que realizó con trazo más dinámico que Toulouse-Lautrec y que son, en general, más amables, como *El final del número*.

En el *Retrato de Carlos Casagemas* se anuncia ya la pintura que iba a desarrollar en años sucesivos y que viene auspiciada por el carácter depresivo de Casagemas. Este retrato conviene relacionarlo, estilísticamente hablando, con el *Retrato de Ángel Fernández de Soto*, realizado en la misma época y que marca una inclinación hacia lo marginal e incluso hacia lo degradado.

Casagemas, que se había enamorado de Germaine Gargallo, estaba cada vez más taciturno y triste. Picasso, tras abandonar París y pasar un par de semanas en Barcelona, decidió llevar a Casagemas a Málaga para celebrar allí el año nuevo. Casagemas se sentía cada vez más sumido en la desdicha y siempre estaba bebido. Viendo que no había forma de distraer a su amigo, decidió enviarlo a Barcelona. Casagemas volvería a París en busca de Germaine, y el 17 de febrero, durante la celebración de una cena de despedida, puso fin a su vida disparándose un tiro en la sien.

Entre tanto, Picasso, tras una corta estancia en Málaga, fue a Madrid y realizó una breve visita a Toledo para ver la obra del Greco. En abril regresó a Barcelona y en mayo viajó a París, donde inauguró, el 24 de junio, una exposición conjunta con Francisco Iturrino, en la Galería Vollard y organizada por Pere Mañac. En esta muestra presentó 64 que en absoluto tienen carácter unitario. Hay obras pintadas en Madrid, Barcelona y París, tres momentos próximos en el tiempo, pero conceptualmente diversos. En su pintura de la primera mitad de 1901 aparecen dos tendencias dominantes: unas obras son de pincelada pastosa, resbaladiza, y otras, más que puntillistas, están sencillamente punteadas. Los materiales y los soportes también son diversos: óleo sobre tela, óleo sobre cartón, sobre madera, pastel, acuarela, dibujo, etc. Entre las obras expuestas se encontraban el *Autorretrato «Yo, Picasso»*, *La espera (L'attente) o Margot*, que en el catálogo de la exposición figura como *Cortesana con el brazo en el hombro*, *La absenta*, «À

Pierreuse, la mano sobre el hombro
1901, óleo sobre cartón, 69,5 × 57 cm
Barcelona: Museo Picasso

También conocido como La espera *o*
Margot, *es una obra pintada durante la*
primavera. El estallido del puntillismo del
fondo recreado a modo de brillantísimas
teselas de un mosaico, nos habla de Klimt
y el intenso expresionismo cromático de
Van Gogh. La mujer, vestida de rojo, es de
una gran fuerza expresiva.

Germaine» (Mme. Florentin), la modelo por la cual se suicidó Casagemas y que,
con el tiempo, se casaría con Ramón Pichot y que en este momento parece que
era la amante de Picasso, después de haberlo sido de Manolo Hugué. También
expuso varios jarros de flores, rosas, así como numerosos óleos de tema taurino,
interiores, tejados, paisajes rurales, urbanos, marinas y retratos. A pesar de esta
amalgama, el rostro o la figura humana constituían ya su temática predilecta. En
otros lienzos aparece la desolación y en algunos la narración ostenta una expresiva acritud, como en *Desnudo con gatos*, y en otras su lenguaje se va haciendo cada
vez más duro, hasta llegar a la culminación en *El café de la Rotonda*, el café del
boulevard de Clichy donde se había suicidado su amigo. En las obras a que nos
referimos el trazo de la línea es algo más desenfadado, el color está fuertemente
contrastado, la definición de los campos cromáticos es evidente y anuncia el uso
de tonos puros característicos de algunos lienzos que pintó en 1901: *Mujer en
azul* y *La enana*.

Épocas Azul y Rosa, la experiencia holandesa y Gósol

A partir de 1901 y hasta 1907, Picasso se sintió atraído por una figuración en la que el color, más que formal, indicaba estados de ánimo y emociones. A pesar de su aparente sencillez, cada cuadro representaba una profunda reflexión, un nuevo reto que se plasmaba en el lienzo. Las referencias históricas, que aparecerían en *Les demoiselles d'Avignon*, ya están presentes, aunque no totalmente definidas.

En esos años Picasso continuó experimentando con la figura, creando su propio universo próximo a una realidad entre cercana y soñada. Es el resultado de un mundo triste y, a la vez, soñado. Es la lucha entre lo que vemos y lo que imaginamos. Si en su etapa azul el color significa silencio y tristeza, en su período rosa expresa más que libertad, ansias de huir de la cotidianidad. Si ante el cuadro *La vida* vemos reflejado el fruto del amor, en *La familia del saltimbanqui* cabe citar la impresión del poeta Rainer Maria Rilke ante dicha obra, expresada con estas palabras: «Pero, quiénes son los trashumantes, dime, estas gentes aun más fugitivas que nosotros mismos.»

En el año 1905 el pintor se encontraba en Holanda donde, en clara relación con la tradición clásica, realizó su cuadro *Las tres holandesas*, fiel correlato del tema de *Las tres Gracias*, que él conocía a través de la versión de Rubens conservada en el Museo del Prado. Este clasicismo lo continuaría a su vuelta a París y lo acentuaría en Gósol, durante su estancia en esta localidad durante el verano de 1906.

Entre Barcelona y París

El término azul hace referencia a la gama cromática dominante en los cuadros de esta época, que abarca de 1901 a 1904, pero también al componente anímico que las obras desprenden. Las figuras alargadas se inspiran en las del Greco y, generalmente, están situadas en posiciones retóricas, exentas de movilidad y, en ocasiones, de cara al espectador, como si estuvieran dispuestas a entablar un diálogo privado. De todas las etapas picassianas, ésta es la que más se aproxima al simbolismo de fin de siglo.

Mujer en azul es una obra pintada en la capital de España, cuando conocía y frecuentaba a varios representantes de la *Generación del 98*. Pío Baroja habla de este modo en sus *Memorias*: «Pablo Picasso, cuando estuvo en Madrid, había tomado un estudio hacia la calle de Zurbano y se dedicaba a pintar de memoria figuras de mujeres de aire parisiense, con la boca redonda y roja como una oblea… Picasso tenía un aire atrevido y genial. En el poco tiempo que estuvo en Madrid aparecieron en su estudio treinta o cuarenta cuadros hechos casi todos de memoria.» Presentó *La mujer en azul* a la Exposición Nacional de Bellas Artes de ese mismo

Mujer desnuda con piernas cruzadas
1903, pastel, 58 × 44 cm
Colección particular

Tristeza, melancolía y una mirada introspectiva presiden esta bella composición, fiel reflejo de una experiencia académica, basada en el dibujo, que sitúa la figura femenina en un lugar indeterminado y a la vez aislada en su soledad. Demostración de un Picasso figurativo que, a través del volumen, consigue aunar forma y contenido.

Celestina
1904, óleo sobre lienzo, 81 × 60 cm
París: Museo Picasso

Posiblemente se tratase de Carlota
Valdivia, que tuvo su domicilio en el
interior del número 12 de la calle Conde
del Asalto, donde estaba el Eden-Concert.
Es un retrato que resulta inquietante a
causa de la mirada de la tuerta, que, como
a cualquier otro explotador de la condición
humana, Picasso muestra siempre horrible
o crispado.

año y recibió por ella una Mención Honorífica. El cuadro no fue retirado por el artista al término de la muestra y, rescatado posteriormente por Lafuente Ferrari, pasaría a formar parte de las colecciones estatales. Es un buen ejemplo del inicio de esta etapa. Picasso representa a una mujer maquillada, con atuendo llamativo y aire parisiense, apoyada firmemente en su sombrilla y destacando sobre un fondo azul que contrasta con la tonalidad blancoazulada del vestido. Es un personaje que produce un fuerte impacto y que inaugura con fuerza el que sería el tema predilecto de Picasso: la mujer. Ya en esta obra comenzó a conceder importancia a los elementos plásticos, aunque todavía predominaban los anecdóticos; a la composición cromática, a la disposición del personaje y al contraste entre el primero y el segundo término.

En la misma exposición Joaquín Mir expuso una de sus telas sobre Mallorca: *Montañas rojas*, obra *fauve avant la lettre*. Este fauvismo de Mir es uno de los elementos que hay que tener en cuenta para comprender la inmediata evolución de Picasso. Durante su estancia en Madrid, la firma de Picasso osciló todavía entre P. Ruiz Picasso, P. R. Picasso y simplemente Picasso.

La bebedora de absenta
1901, óleo sobre cartón, 65,8 × 50,8 cm
Nueva York: Colección particular

*La cuestión del alcohol y, sobre todo, de la
absenta, estaba a la orden del día.
El Dr. Laborde, de la Academia de
Medicina, acababa de realizar un
dictamen encaminado a prohibir las
bebidas con sustancias tóxicas similares a
la absenta. Esta bebedora, de manos como
garras y nariz aguileña, se asemeja a un
ave de rapiña y nos habla de alcohol y
degeneración.*

Durante su estancia en París, en el otoño de 1901, fue cuando más claramente
retornó a los interiores oscuros, así como a la interiorización de los sentimientos,
todo ello probablemente estimulado por la luz del otoño y también por la situación de su habitación del boulevard de Clichy, orientada al norte, en la que la luz
se tornaría de tintes marinos. En París, finalizada la euforia del primer momento,
gracias a la exposición de Vollard, los factores económicos, las decepciones y las
dificultades acababan de completar el cuadro argumental de la sensibilidad picassiana de este período. Una y otra vez retornaba la obsesión por el amigo que se
había suicidado y fue cuando, a título póstumo, realizó una serie de apuntes y grandes óleos en memoria de su amigo difunto.

Obras significativas de este momento son: *El boc (Retrato del poeta Sabartés)*, que
tiene como telón de fondo *La Lorraine*, el café del Barrio Latino que les cautivaba y
donde se reunían con asiduidad; en el café capta un instante fugitivo de su amigo
envuelto en su propia soledad y con la mirada perdida en el vacío. *Los dos saltimbanquis (Arlequín y su compañera)*, autorretrato de Picasso como Arlequín con Germaine
Gargallo; en esta obra los motivos anecdóticos se reducen al mínimo indispensable,

Arlequín pensativo
1901, óleo sobre lienzo, 80 × 60,3 cm
Nueva York: Museum of Modern Art

Aquí la obra de Picasso ha experimentado un cambio importante. Sus personajes no pertenecen ya a la «belle époque» y los modelos nos hablan de una soledad que va en aumento. En esta pintura puede intuirse una forma psicológica de autorretrato. Hay silencio, hay interiorización, hay distancia y, evidentemente, hay tristeza y, quizá, frustración y decepción.

Evocación (El entierro de Casagemas)
1901, óleo sobre lienzo, 146 × 89 cm
París: Museo de la Villa de París

Está dispuesta en dos planos, a la manera del Greco: uno celeste y otro terrestre. El paraíso que Picasso imagina para su amigo está poblado de huríes, muchachas de vida airada, desnudas y con medias de colores. En la parte inferior, además de las plañideras que acompañan al cadáver amortajado, está la puerta como símbolo del umbral del más allá.

las figuras adquieren prestancia, se aplanan y recortan enfáticamente sobre un fondo que se va haciendo cada vez más monocromo. *Arlequín pensativo, La bebedora de absenta* y *La bebedora de ajenjo (El aperitivo)*; se desconoce el nombre de la modelo, pero no cabe duda que es la misma de *La mujer del moño, La muchacha de los brazos cruzados* y, quizá también, de *La mujer del cigarrillo*, y puede considerarse como la culminación de una serie de imágenes sobre la mujer en el café. *Evocación (El entierro de Casagemas), La muerte de Casagemas* y *El suicidio (Casagemas)* y *Gran autorretrato azul.*

Como ya hemos apuntado, la muerte de Casagemas afectó profundamente a Picasso, quien pensando en su amigo realizaría una serie de obras póstumas, entre las que descuellan obras ya mencionadas. Así, *Evocación (El entierro de Casagemas)*, compositivamente dividida en dos planos, uno terrestre y otro celeste, que nos hacen pensar en *El sueño de Felipe II* del Greco. En este caso Picasso recrea un pa-

23

raíso con numerosas huríes, una de las cuales recibe al recién llegado con un abrazo desde su corcel. Algunas aparecen totalmente desnudas y otras con las medias puestas, creando un contrapunto sensual y erótico. En la parte inferior, además de las plañideras que rodean al personaje de cuerpo presente, vemos un arco que volveremos a encontrar más adelante en *La vida* y que nos remite a un texto de Casagemas en el que habla de una puerta que se abre y a través de la cual penetran los espectros. Y *La muerte de Casagemas*. Manolo Hugué, en su *Autobiografía*, se refiere a este retrato diciendo: «Picasso hizo la cabeza de nuestro amigo muerto con aquel color de cera que tenía, la nariz delicada y el aire romántico.» En esta obra hay una gran predominio de los azules y un rasgo iconográfico insólito: una enorme vela que arde junto al ataúd y cuya llama está representada con vívidos toques de rojo, amarillo, azul y verde. Intencionadamente simbólica, es la primera de numerosas velas que veremos en años sucesivos; algunas representan la luz de la verdad, como en el aguafuerte de la *Minotauromaquia* y en los primeros estudios del *Guernica*, mientras que otras significan la mortalidad, como en los bodegones de 1942 con cráneo de toro, vela y paleta que recuerdan los *memento mori* tradicionales. Sin embargo, por el trazo de fuertes pinceladas que rodean la llama como un halo, recuerda sobremanera las representaciones de velas, lámparas e incluso el sol y las estrellas de Van Gogh. En la primavera de 1901 se celebró en París una retrospectiva de Van Gogh y, posiblemente, Picasso pudo conocer su obra y los principales acontecimientos de su trágica vida.

El *Gran autorretrato azul* nos muestra a un Picasso sereno. En los anteriores autorretratos se aprecia un cierto dramatismo que viene dado por el nerviosismo del trazo. En esta ocasión el drama es evidente y tal vez nos lo muestra de una forma más convincente que nunca. Vemos aquí a un hombre joven (sabemos que acababa de cumplir 20 años el 25 de octubre), demacrado, en el que intuimos una vejez prematura quizás a causa de las privaciones. Hay nostalgia en su mirada; sus ojos no están tan abiertos como en otras representaciones. Aquí hay más vida interior, su pupila mira a lo esencial y no tanto al mundo que le rodea que, posiblemente, en este momento no le gusta demasiado. Sin embargo, no hay resignación en su rostro, las mandíbulas, ligeramente apretadas, nos hablan de esa voluntad férrea que posee el artista y en su actitud equilibrada adivinamos que está dispuesto para la lucha. La emotividad está contenida, su mirada es intensa, reflexiva. Hay una gran madurez en este joven que sabe ya tanto de la vida y que ha sufrido tantos desengaños.

Antes de abandonar París y gracias al doctor Louis Julien, pudo visitar la cárcel de Saint-Lazare, integrada, en su mayor parte, por mujeres que sufrían enfermedades venéreas. La visión de estas mujeres tocadas por una cofia, impresionó profundamente a Picasso y sería determinante en las obras que pintaría en Barcelona en 1902.

La culminación de la Época Azul

Ya en Barcelona, buscó de inmediato un estudio para trabajar. Se instaló en el número 10 de la calle Nueva, junto al cabaret Eden-Concert. Este año marca el desarrollo de la Época Azul, que en cierta manera corría en paralelo a la Época Verde de su amigo Nonell. El clima que Picasso vivió en la Barcelona de 1902 es el de la agitación social, con un gran número de huelgas, hambre, injusticias, etc. La postura social y política de Picasso queda manifiesta en el dibujo de 1902 *La gana*, en el que aparecen un hombre que predica y un obrero que le replica: «Sí, sí, pero mis hijos tienen hambre».

En esta época frecuenta la Guayaba, fundado por dos amigos inseparables: Quim Borraderas y Joan Vidal Ventosa. Los asiduos al cenáculo eran jovencísimos (Salvador Teyà, Pere Luandre, Enric Jardí) y por allí desfilaron muchos personajes, de los cuales algunos llegaron a consolidarse con el tiempo. Es el caso de Feliu

Gran autorretrato azul
1901, óleo sobre lienzo, 80 × 60 cm
París: Museo Picasso

Con esta obra, pone punto final a su segunda estancia en París. En otros autorretratos advertimos una expresión dramática, mientras que en éste hay serenidad. Quizá porque el drama se ha hecho realidad. El rostro demacrado, el bigote y la barba descuidados nos muestran a un hombre joven en el que se advierte una vejez prematura a causa de las privaciones.

Desnudo acostado (Jeanne)
1901, óleo sobre lienzo, 70,5 × 90,2 cm
París: Centro Pompidou

Se trata de una modelo profesional que posó para Picasso al menos en dos ocasiones (Jeanneton es el título de otra obra). Estas piezas fueron mostradas en la exposición que realizó en la Galería Vollard organizada por Coquiot quien le calificó con el término baudelairiano de «pintor de la vida moderna», a causa de la diversidad de temas plasmados.

Desamparados
1903, pastel sobre papel, 47,5 × 41 cm
Barcelona: Museo Picasso

También llamada El niño enfermo, *es una obra en la que la vibración de la pincelada acentúa el aspecto afectivo. Desprende tal calor humano, que casi parece una pintura de tema religioso. Sin embargo, trata del amor humano, de la entrega, de la protección, de la ternura, del amor maternal que cubre como un manto sagrado a ese niño enfermo.*

Elías, el satírico dibujante, de Josep-Maria Folch i Torres, que en sus *Páginas vividas* habla de los sueños de toda una generación de chicos catalanes y que es el creador del célebre semanario infantil *En Patufet*, y Eugeni D'Ors.

En las obras de 1902 hay un cierto *leitmotiv* pictórico: el de la cofia o el pañuelo en la cabeza de muchas mujeres, sentadas o, mejor, replegadas sobre sí mismas, de pie, o de espaldas, con una gran carga dramática, monumentalidad y monocromía, como podemos constatar en *Mendiga acurrucada*, que recuerda a las santas mujeres de la pintura tradicional, y en *Mujer acurrucada y meditativa*, *Bebedora abatida*, *Desnudo femenino sentado y de espaldas*, entre otras.

En los autorretratos de este momento se aprecia a un Picasso preocupado, con las cejas más o menos arqueadas. Seguramente, su mayor preocupación es su futuro artístico después de la ruptura con su primer marchante. En los dibujos, sueltos y placenteros, se descubre la exacerbación sexual del joven, que en el *Desnudo femenino con un espejo en la mano* ha dejado manuscrito «cuando tengas ganas de joder, jode», lo que nos viene a confirmar que por encima de los preceptos que su familia le hubiera podido inculcar, él se concedía permiso para seguir sus impulsos vitales.

En otoño volvió a París, pero sus auspicios eran negros, y la peripecia para poder subsistir, constante. Esta estancia supuso uno de los momentos o, quizás, el momento más duro de la vida del artista, puesto que su situación era auténticamente insostenible. A la penuria económica había que sumar la temperatura invernal, con frío muy intenso. Vivía en el Hôtel du Maroc; su entorno era sumamente difícil y desagradable. En estas condiciones surgió su «etapa sucia», que forma un corto paréntesis dentro de la Época Azul; esa suciedad se revela en el sentido más primario de la palabra. Sus acuarelas y dibujos eróticos son turbulentos y nos hablan de su estado de ánimo. En este tercer viaje, teóricamente debía consolidarse su posición. En cambio, fue casi un retroceso en su trayectoria artística. En los autorretratos aparece desnudo y, seguramente, es una forma de hablarnos de su indigencia. Quizá para huir de este entorno aceptó trasladarse a la habitación que Max Jacob tenía en el boulevard Voltaire. Este hecho supuso una liberación que, de inmediato, se vio reflejada en su obra.

Miserables junto al mar
1903, óleo sobre tabla, 105,4 × 69 cm
Washington: National Gallery of Art

Las obras de la Época Azul elevan a una notable monumentalidad el canto triste a la miseria. Describen a personajes enfermizos y lánguidos, extraídos de un mundo de marginados, presentados en composiciones siempre cargadas de patetismo y de melancolía. Son imágenes de quienes han sido vencidos por la vida. Es la pobreza, el hambre, la desolación.

Picasso comenzó 1903 en París y en los primeros días de enero regresó a Barcelona. Las consecuencias de la etapa sucia pueden apreciarse todavía en obras como *Madre e hijo junto al mar* y *Desamparados*, dos pasteles realizados de modo consecutivo y con la misma modelo, en los que se aprecian restos de esa «suciedad» que caracteriza el momento anterior. Otra obra interesante es *La sopa*, que quizá tiene sus raíces en escenas vividas en París, en la rue du Seine, aunque se nos aparece singularmente limpia.

Miserables junto al mar (The tragedy) es una de las obras de mayor contenido social de este período. El aspecto mísero, harapiento, pasando frío, con los pies desnudos de los personajes, sumado al aspecto inhóspito que los rodea, debería conmovernos. Sin duda, es una temática reivindicativa. Y como para sobrellevar esta tensión, durante la primavera realizó una serie de dibujos de carácter satírico o burlesco, que sirvieron al propio Picasso para desintoxicarse de tanta penuria.

Obra clave de 1903 es *La vida*, con un antecedente directo en *Las dos hermanas (La entrevista)*. Representa a dos prostitutas de la prisión de Saint-Lazare y en ella ya vemos el estereotipo del ojo almendrado y excesivamente grande para el rostro, que

La vida
1903, óleo sobre lienzo, 197 × 127,3 cm
Cleveland: Museum of Art

Es la pieza maestra de la Época Azul. Se trata de una pintura alegórica de la que existen varios trabajos previos. En ellos, el protagonista presenta los rasgos de Picasso. En la pintura final, en cambio, Casagemas desempeña este papel. Una atmósfera de incomunicación se impone al espectador a través de unas figuras de notable monumentalidad.

El loco
1904, acuarela sobre papel de embalar, 86 × 36 cm
Barcelona: Museo Picasso

Es un personaje que marca el inicio de las
transfiguraciones y de las asimetrías del rostro que,
en este caso, nos hablan muy a las claras de una total
alienación. El loco está en pie, sus miembros son
esquemáticos, hay crispación en su gesto, sus cabellos
están encrespados, está harapiento y ya ni pide
caridad: es la aceptación de la derrota.

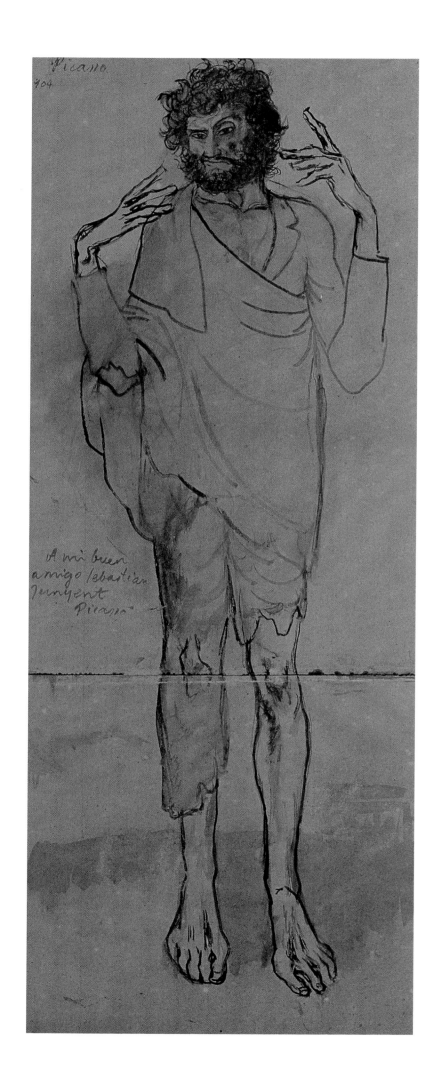

se considera inspirado en el arte ibérico. En uno de los dibujos preparatorios la mujer parece llevar un niño en brazos, lo que nos recuerda la actitud de la maternidad de *La vida*. Seguramente está pintado en el estudio a la vista de las imágenes que aparecen en la pared del fondo, estudio en el que se ofrece una alegoría del amor en pareja y de la procreación en la maternidad que el hombre señala. Curiosamente, la mujer no está abrazada al hombre; ya no se trata del amor apasionado y sensual, ahora vemos a una mujer que descansa sobre el pecho del hombre que la protege, mientras él señala a la mujer con el niño con un gesto que recuerda al Greco y con el que parece marcar su futuro como pareja. Nuevamente se pone de relieve la verticalidad y monumentalidad plástica de las figuras. En las dos mujeres predomina, además, el ojo almendrado y el perfil recto. El espacio que separa las figuras sirve para enfatizarlas y, al mismo tiempo, adquieren una gran autonomía.

En la segunda mitad de 1903 Picasso se centró en la descripción del hombre depauperado, viejo, indigente y patético. *El viejo guitarrista* y *El viejo judío* son buen ejemplo de ello.

A finales de año instaló su taller en el número 28 de la calle del Comercio, en el estudio cedido por Gargallo. *El loco* es un personaje que marca el inicio de las transfiguraciones del rostro. Vemos la convergencia entre la ceja y la boca en una parte del rostro, y la divergencia en la otra, con lo que consigue una completa asimetría. En este final de la Etapa Azul, la alienación de los personajes es total. No sabemos si se han refugiado en la locura o bien si a causa de ella se han visto en tan penosa situación. *El loco* está de pie, sus miembros son esqueléticos, hay crispación en su gesto, sus cabellos están encrespados. Ni come, ni pide caridad.

La Época Rosa

En abril de 1904 Picasso emprendió el cuarto viaje a París acompañado por Sebastián Junyer-Vidal. Se instalaron en el famoso Bateau Lavoir, y el lugar de reunión, en esta ocasión, era la taberna del Lapin Agile, en la rue des Saules.

La muerte del arlequín
*1906, gouache *sobre cartón*,
68,5 × 96 cm
Colección particular*

Si en obras anteriores (como Los amantes*) el blanco se convertía en el color del erotismo, ahora lo utiliza como expresión de la muerte; el cojín y la cama en la que parece levitar el arlequín, aportan ingravidez, y las caras enharinadas de los dos arlequines parecen máscaras de la muerte. El blanco que ha jugado al amor es ahora espectral, intangible.*

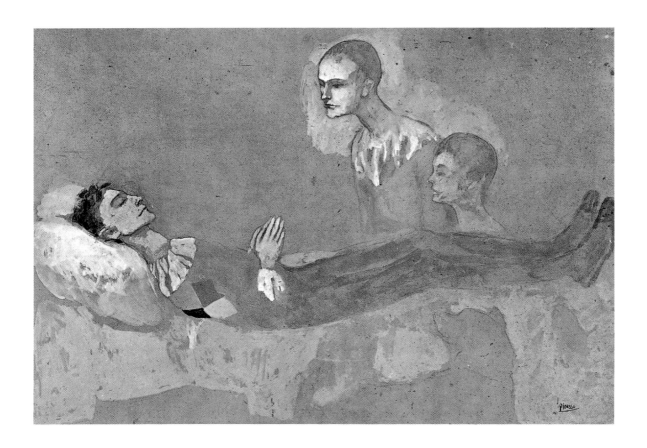

Picasso continuaba manteniendo su relación comercial tanto con Vollard como con Berthe Weill, y ahora amplió su círculo con Clovis Sagot, antiguo payaso del circo Medrano. Pronto el taller de Picasso fue frecuentado por sus amigos Manolo, Max Jacob y Paco Durrio, a los que se sumarían Ramón Pichot, Ricardo Canals y Zuloaga. También empezaron a aparecer algunos compradores que acudían al taller. Con el cambio de ambiente, de luz, de amigos y de idioma, también aparecieron importantes transformaciones en su paleta y comenzó con el retrato como temática. *La mujer del tupé* nos muestra a una modelo diferente a las anteriores, con el aspecto de la Marianne que simboliza la República Francesa. *La planchadora* presenta una considerable distorsión y una delgadez que nos habla de penuria.

El encuentro con Fernande Olivier iba a determinar un cambio importante en la vida y en la obra de Picasso. De esta relación tenemos un primer testimonio en *Los amantes*, fechado en agosto de 1904. Fernande estaba casada con un tal Gaston de Labaume, era una mujer bonita, de complexión fuerte y muy atractiva. Por entonces era la amante de un artista del Bateau Lavoir. Un día de tormenta se refugió en el portal donde también estaba Picasso, y él intentó besarla inmediatamente. Se convirtieron en amantes y casi un año después empezaron a vivir juntos. Era la primera vez que el pintor convivía con una mujer. Y con Fernande en su vida, Picasso entró de golpe en la Época Rosa. Pero durante ese año la relación no fue constante y cabe suponer que Picasso tendría otros devaneos. Del mismo modo, la Etapa Azul, que parece clausurada, también aparece de forma intermitente. Como es ya habitual en el joven pintor, su obra corre en paralelo a su biografía personal, que nunca duda en mostrar, sino todo lo contrario. De este momento es el aguafuerte *La comida frugal*, en el que el expresionismo de las manos es más acentuado que nunca y está muy cerca de *La muchacha del cuervo*, de la que realizó dos versiones. En ambas el azul es ultramar y uniforme, casi metálico, y la mano es extraordinariamente alargada.

Durante el otoño, el taller del Bateau Lavoir se convirtió en un centro de reunión de artistas y poetas, como André Salmon y Guillaume Apollinaire. Pertenece a este momento de transición *Au Lapin Agile*. Picasso se vistió nuevamente de Arlequín y aparecía distante respecto a la mujer que tenía a su lado; quizá con esta obra nos quería mostrar alguno de sus devaneos amorosos.

La Época Rosa se ha datado entre finales de 1904 y abril de 1905. Estos cuatro meses fueron de una intensidad febril, y aparecieron innumerables personajes circenses, como: *El chico del perro, Acróbata y joven arlequín* y *Dos saltimbanquis con su perro*, que expuso en la Gallerie Serrusier y de las que Apollinaire se hizo eco en *La Plume*. Otras obras significativas de este período son *El equilibrista de la bola, Mujer en camisa, El violinista (Familia de acróbatas con simio), Bufón a caballo, Rey* y *El organista ambulante*. Descubrimos toda una serie de personajes, escenas circenses y colorido que irrumpen en la vida del artista que los recrea, en general, de forma más amable. Frente al dramatismo trágico, ahora nos encontramos ante una ternura nostálgica. Estos personajes, de algún modo, nos contagian su tristeza. La evolución es interior; Picasso siempre nos narra sus estados de ánimo y sabe cómo transmitirnos esa nostalgia. Pese a ser más amable que la etapa anterior, en algunos casos el dramatismo que se nos muestra es tanto o más potente que el de la Época Azul. Picasso se dejó llevar por la representación, por la teatralidad. Los saltimbanquis son una metáfora, sentimental y triste, de la vida humana. Con la introducción de los acróbatas circenses aparece otra enorme cantidad de posibilidades. Entre todos ellos hay un personaje grueso que debió de impresionar a Picasso, porque sintió la necesidad de plasmarlo en numerosos apuntes y también en varias obras, como *Bufón obeso, sentado (perfil izquierdo)*. Otro tema que también pareció interesarle es el de la *Amazona a caballo*, puesto que realizó numerosos estudios del mismo. Todas estas composiciones culmina-

El violinista (Familia de acróbatas con simio)
1905, pluma y acuarela sobre cartón, 16,2 × 14,2 cm
Baltimore: Museum of Art

La aparición de los saltimbanquis en la explanada de los Inválidos de París es como una revelación, una nueva forma de entender el arte. Quizás éste sea el sentimiento que inspiró este dibujo. Las figuras son aquí elegantes, ligeras y gráciles. Incluso el mono parece observar admirado la ternura de la pareja circense.

ron en *Familia de acróbatas*, en la que nuevamente encontramos al acróbata obeso y que es el antecedente directo de *Los acróbatas* que realizaría tras su paréntesis holandés. *Los acróbatas* o *La familia de saltimbanquis* resume en buena medida la serie de cuadros que Picasso realizó sobre el tema circense. Muchos de los personajes habían sido ya los protagonistas de otras obras y aparecieron nuevamente sin grandes cambios; sin embargo, lo que llama poderosamente la atención del conjunto es su estático silencio. Las figuras se miran entre sí, pero no hablan, no se relacionan. A la derecha aparece una figura sentada, vestida de mallorquina, que aporta una nota de misterio a la composición. El grupo está en un descampado, no hay circo, no hay *roulotte*, hay desolación.

La familia de saltimbanquis

1905, óleo sobre lienzo, 212,8 × 229,6 cm
Washington: National Gallery of Art

El cálido ocre del fondo sustenta los rosa, rojo, caldera y lilas y malvas de una composición tan arbitraria como esteticista, en la que aparece la mallorquina sentada a la derecha, personaje que nada tiene en común con el grupo circense y que, con su actitud, todavía se distancia más de los que suponemos sus compañeros. Sí es cierto que aporta misterio a la obra.

De Holanda a Gósol, pasando por París

Se desconocen las fechas exactas del viaje a Holanda, aunque se sabe que tuvo lugar entre junio y julio, invitado por su amigo Tom Schilperoot. De esta breve escapada hay tres obras sobresalientes: *Desnudo con gorro*, *Las tres holandesas*, que revela ya un vivo colorido, aunque se mantiene el hieratismo anterior, y *La bella holandesa (La holandesa de la cofia)*, en la que observamos el auténtico cambio. Sobre el fondo oscuro la carne femenina destaca con enorme fuerza. Es todavía una figura pensativa, como los saltimbanquis parisienses; sin embargo, las rotundas formas corporales de la joven están por encima de cuanto su vida interior pueda suscitar. Aquí ya no hay languidez, hay sensualidad en las formas y en el volumen, que ha abandonado la planimetría, y erotismo agudizado por el detalle de la cofia. Esta concepción del cuerpo humano se vería acentuada en los años venideros y sin ella no sería posible comprender el cubismo.

De nuevo en París, pintó el *Retrato de Bernadetta Canals (La Sra. Canals)*, con mantilla y una flor malva en el pelo. Se nos aparece distante, como una gran dama.

Retrato de Bernadetta Canals (La Sra. Canals)

1905, óleo sobre lienzo, 88 × 68 cm
Barcelona: Museo Picasso

Es éste un magnífico retrato de mujer con mantilla, peineta y una flor en el cabello. Hay suavidad en el trazado y en el colorido. Bernadetta, que había posado para Degas, conoció a Ricardo Canals, se convirtió en su compañera y en 1906, en su esposa. Junto a Fernande y a Picasso compartieron, en el Bateau Lavoir, alegrías y estrecheces.

Madre e hijo
1905, gouache sobre lienzo, 90 × 71 cm
Stuttgart: Staatsgalerie

Hacia 1905 Picasso inició una serie de cuadros dedicados al tema del circo. Acróbatas, saltimbanquis, bailarines y arlequines aparecen en un ambiente de dulce melancolía. Paralelamente, el color se hace más cálido y se resuelve en delicados tonos rosados. La poesía sosegada de esta serie se contrapone a la tensión y a la tristeza del período precedente.

Los tonos ocres del fondo son premonitorios del otoño. La obra respira influencia velazqueña.

Ese año de 1905, tuvo la oportunidad de ver algunas exposiciones que influirían en su pintura: retrospectivas de Van Gogh y Seurat en el Salón de los Independientes, escultura ibérica en el Louvre y retrospectivas de Manet e Ingres en el Salón de Otoño. Picasso absorbió la información y todo iba a ser materia prima para sus futuras creaciones y, más adelante, recreaciones, como *El baño turco* de Ingres.

Señora con abanico (Mujer con el brazo levantado), realizada a finales de 1905, presenta una formalidad hierática con claras connotaciones egipcias y un rostro de gran profundidad psicológica en su quietismo. La temática del abanico entronca con el más puro sentimiento de lo español de Velázquez, Goya y del propio Zuloaga. En el perfil de esta mujer desempeña un papel preponderante la concepción de la luz, de la que también participa la mano. Esta luz hace que la faz de esta joven casi se convierta en una máscara. Y Picasso ya no abandonaría la idea de la máscara. Esta última fase ya no es social, ni sentimental, ni trágica, sino estética, puesto que se trata únicamente de la búsqueda de los procedimientos plásticos.

El muchacho de la pipa pertenece también a este final de la época azul-rosa. Se trata de un joven imberbe vestido con un mono azul de mecánico, semejante al usado por Picasso para pintar, al que corona de rosas. Marca el inicio de una serie de telas en las que canta la belleza del hombre adolescente, alguno de rostro inquietante; otras, un punto equívocas, nos hablan de la fragilidad de la adolescencia: *Cabeza de arlequín*, *El muchacho de la gorguera* y *Muchacho sujetando una jarra*. En *La muerte del arlequín*, con la que por el momento clausuraría la temática de los arlequines, vemos que sus rostros se han transformado en máscaras que aparecen de un blanco cerúleo y que tendría su consecuente más adelante. El blanco iba a convertirse en el color del erotismo por excelencia, como en *Desnudos enlazados* y *Los amantes haciendo el amor*.

Sabemos que las imágenes actuaron en Picasso como semillas que fecundaban y que darían su fruto en el momento oportuno, tras horas y horas de búsqueda constante en el silencio de su taller. En la primavera de 1906 hay una gran invasión de caballos y caballeros, prolongación del mundo adolescente en el que enfatiza la belleza masculina: *Chico y caballo*, así como *Conductor de caballo, desnudo*, son prueba de ello. En la segunda apreciamos un elemento eludido: las bridas del caballo, que nos hablan de su interés por la abstracción o, quizá, por la simplificación de los elementos.

En este tiempo Picasso conoció a una familia de judíos americanos, los Stein, que impresionados por la obra *Muchacha con un cesto de flores*, desearon ponerse en contacto con el pintor. En su estudio compraron un lote de obras por el precio conjunto de 800 francos. Era la primera venta importante y este hecho marcaría un giro económico, del que pronto conoceremos las consecuencias.

Los duros inviernos de París y las privaciones parece que habían maltratado la solidez física de Picasso, que decidió pasar el verano con Fernande en Gósol, para reponerse. Un paisaje nuevo, grandioso, dio origen a una paleta nueva, a una estética renovada. Su obra aquí fue diversa, extensa, con múltiples facetas y tendencias. Retomó el tema de *Los dos hermanos*, en el que todavía aparecen un tambor en escorzo, que nos despide de una etapa, y un jarro con flores, que se repetiría en diferentes composiciones. La figura del adolescente desnudo es el motivo fundamental de las obras realizadas en Gósol; de todas ellas, *Los dos hermanos* es la más relevante. En esta obra se opera la transformación de la Etapa Rosa a los ocres de Gósol. El adolescente adquiere volumen y un movimiento que escapa al quietismo de las obras precedentes. Sin embargo, la intencionalidad clásica, con el helenismo arcaizante de los pliegues, la encontramos en *El aseo*, en la que también nos acerca a la cotidianidad de la muchacha peinándose (y mostrando abiertamente sus axilas). Jarros, porrones, flores y cántaros adquieren un gran poder de evocación. Surgen los tonos tierra, ocres, castaños y una gran variedad de grises que evocan el entorno pedregoso de las montañas que rodean el pueblo.

El harén, de estimables dimensiones teniendo en cuenta las dificultades del transporte, representa a cuatro mujeres jóvenes, una vieja celestina al fondo y un hombre de características hercúleas (al parecer, un eunuco) sentado en el suelo en primer término, recostado indolentemente en la pared y con un porrón fálico en su mano izquierda, ante una merienda no menos fálica, mientras observa a unas mujeres ocupadas en su higiene. Paredes y suelos poseen la misma gama cromática rosácea que los cuerpos. Puede tratarse del interior de un burdel y, por ese motivo, ser el antecedente directo de *Les demoiselles d'Avignon*. Dos mujeres se ocupan en su peinado; otra, con los brazos levantados, parece bailar y otra más, a la derecha, se mira en un pequeño espejo de mano. Puede pensarse que esta obra está inspirada en *El baño turco* de Ingres, quizás en tono de parodia y con predominio de la sordidez en el ambiente.

A este momento pertenece una serie de dibujos, bocetos y óleos sobre Fernande: *Fernande sobre un mulo*, con el Pedraforca tras ella; *Fernande con mantilla blanca*, también con la silueta del Pedraforca; *Retrato de Fernande de medio cuerpo*, y también llega el momento de cantar las excelencias y la plenitud del cuerpo de Fernande, con *Gran desnudo de pie*, en el que el cuerpo de Fernande irradia una gran luz rosada en su entorno, y se trata de un cuerpo explicado de forma sobria, sin elementos anecdóticos; *Desnudo con las manos enlazadas*, en el que figura y fondo parecen equipararse y la sobriedad es todavía mayor; la voluntad por la estilización de las figuras y el recuerdo del Greco se ponen de manifiesto en *La mujer de los panes*, y cada vez más se acentúa el sentido de la máscara, con *Fernande con el pañuelo en la cabeza* y *Desnudo estirado (Fernande)*.

El *Retrato de Gertrude Stein* lo inició con anterioridad al viaje a Gósol. Picasso lo interrumpió para finalizarlo en otoño. Pese que hizo que su amiga posase (parece ser que más de 80 veces), realizó la cabeza sin volver a verla y, al finalizarlo, se lo envió como regalo.

Los dos hermanos
1906, gouache *sobre cartón, 80 × 59 cm*
París: Museo Picasso

Todavía aparece un tambor con un pequeño cuenco encima, junto a un jarrito con flores a un lado. El tambor es el símbolo de la época de los acróbatas y saltimbanquis. El jarro de flores es el mismo que vemos en otras composiciones de Gósol, por lo que se ha deducido que esta obra fue pintada durante el verano de 1906.

El aseo
1906, óleo sobre lienzo, 151 × 99 cm
Buffalo: Albright-Knox Art Gallery

*Volvemos a encontrar en Gósol el tema de
la «toilette» con un fondo en que los ocres y
tierras dominan la tela conformando la
gama cálida que será dominante en toda
esta etapa. Son abundantes las notas y
pinturas realizadas en Gósol de muchachas
desnudas con luminosidad
predominantemente rosada, que subraya
una a modo de evocación bucólica.*

Retrato de Gertrude Stein
1906, óleo sobre lienzo, 100 × 81,3 cm
Nueva York: Museum of Modern Art

*En la primavera de 1906 Picasso pidió a
Gertrude Stein, mujer de expresión inteligente
y fuerte personalidad, que le permitiera
pintar su retrato. Para entonces ya se había
convertido en una gran amiga del pintor y
estaba fascinada no sólo por su genio sino
también por el brillo de sus ojos. Conservó el
retrato toda su vida y, al morir, lo legó al
Museo of Modern Art de Nueva York.*

A este otoño de 1906 pertenece también el *Autorretrato con la paleta en la mano*,
de grandes ojos saltones que nos remiten a las representaciones del románico. *Dos
desnudos* nos muestra dos cuerpos desnudos macizos, de ojos romboidales y pro-
porciones rechonchas que reflejan la influencia de la escultura ibérica, aunque también presentan un cierto parentesco con Cézanne. En esta obra una de las mujeres
aguanta una cortina, a modo de teatro, detalle que también volveremos a ver en
Les demoiselles d'Avignon.

Les demoiselles d'Avignon

Del período que precede a *Les demoiselles d'Avignon* hay una serie de cuadernos fundamentales para seguir la evolución y las preocupaciones estéticas de Picasso durante los meses de gestación de la obra. Los apuntes, bocetos, notas, croquis, proyectos y composiciones pasan de los dos centenares, lo que nos prueba con qué minuciosidad preparó el cuadro.

El paso del arcaísmo primitivo de Gósol a la «disimetría bárbara» (citando a Pierre Daix) es visible en la evolución del rostro que se ha producido entre *Busto de hombre* y *Busto*, así como entre *Desnudo sentado* y *Mujer con las manos juntas*. Se

Les demoiselles d'Avignon
1907, óleo sobre lienzo, 243,9 × 233,7 cm
Nueva York: Museum of Modern Art

Tras numerosos estudios preliminares, en 1907 Picasso pintó esta gran composición, que se considera el punto de partida del cubismo, la revolución pictórica más importante del siglo XX. Las formas son angulares y, sobre todo, los dos rostros de la derecha parecen fuertemente influidos por el arte del África Negra. El cuadro nos presenta a cinco mujeres desnudas.

Les demoiselles d'Avignon
Detalle

El tema del rostro-máscara fue tratado por Picasso cada vez con mayor fuerza, hasta llegar a aproximarse al estilo de las tallas negras. El tipo de nariz, que el pintor calificaba como de «quart de Brie», no vacila en resolverlo dibujísticamente con sombras recortadas, cosa que contrasta con el resto de las figuras.

Les demoiselles d'Avignon
Detalle

Estas dos mujeres con los brazos en alto, mostrando eróticamente sus axilas, reproducen un tipo de desnudo muy abundante entre los croquis de esta obra. Entre estas dos figuras existe acuerdo entre fisonomía y cuerpo, ambos sometidos a rasgos elementales que también nos hacen pensar en un cierto primitivismo, un primitivismo esquemático.

42

Les demoiselles d'Avignon
Detalle

El rostro de esta máscara, dominado por la nariz cortante, presenta la asimetría que se deriva de sus autorretratos, evidentemente exagerada. El cuerpo, de anatomía imposible, cortado en planos y superficies esquemáticas, muestra mayor radicalidad que los otros y es, sin duda, el personaje más obsceno de la composición.

acentúa la influencia ibérica, que se traduce en desproporciones excesivas: alargamiento del mentón y de la parte inferior del rostro, ojos sombreados, orejas desmesuradamente grandes y mirada vacía. Picasso realizó sus investigaciones sobre la expresividad del volumen en dos sentidos. Por un lado, por medio de figuras planas cuyo modelo es seguido por desviaciones del contorno y desniveles, que es el caso de las «señoritas» del centro. Por otro, por medio de figuras coloreadas con estrías o rayas, cuyo modelo es plasmado mediante rupturas del cromatismo, que son las de la parte derecha del cuadro. De este modo Picasso pasa brutalmente de los cuerpos redondeados a una geometrización angulosa. La técnica del plumeado volvió a aparecer en *Busto de mujer o marino* y *El árbol*. El retorno brutal del color, que coincide con las telas *fauves* tardías de Matisse y Dérain, se afirma en *Madre e hijo*, tela de una violencia expresiva excepcional, tanto por sus intensos colores como por la fuerte esquematización de los rostros.

Durante los meses de gestación de esta obra singular, las figuras arcaizantes de la etapa anterior pueden volver a tomar formas todavía más elementales, como si Picasso estuviera inventando un vocabulario virgen para crear nuevos ídolos de una religión aún por codificar. Éstos se plasmarían en la convulsión pictórica de *Les demoiselles*, ese a modo de quinteto de furias que se encaran frontalmente con el espectador como para atraerlo a su tumultuoso teatro de la sexualidad.

La obra fue terminada en julio de 1907 y sería descrita por vez primera vez en 1912, pero no se expondría hasta 1916, en el Salón d'Antin, y su título se hizo público en 1920. Picasso guardó este gran cuadro y sólo sería conocido por un reducido número de personas muy allegadas, Matisse entre ellas. Cuando la veían, comentaban el extraño carácter del lienzo, de sus protagonistas y de su ambiente, y todavía hoy se sigue discutiendo sobre la interpretación del título. El propio André Salmon definiría el lienzo como que cumple las funciones de un cráter siempre incandescente del que surge el fuego del arte actual.

Picasso representó a cinco mujeres en el interior de un salón, con un pequeño bodegón en la parte delantera inferior y diversos cortinajes que se cierran detrás y a ambos lados. Las mujeres están desnudas y adoptan diversas posiciones, destacando una que, en cuclillas, está a la derecha, mira hacia nosotros con la cabeza vuelta, en una postura anatómicamente imposible, mostrando una fisonomía propia de una máscara africana. Estas mujeres picassianas son agresivas y terribles, no tanto por los gestos que puedan hacer o por su presunto carácter simbólico, sino por la índole hipnótica y fatal de su presencia. Tres de ellas nos miran con ojos almendrados, propios de la escultura ibérica, otra es una máscara primitiva que otorga al lienzo una inquietante sugerencia; también es una máscara la que entra por el fondo, a la derecha, y contundente en su iberismo la que entra por la izquierda corriendo (¿o descorriendo?) la cortina con su gran mano. La disposición de las cortinas hace pensar en un teatro, en lo que de exhibición teatral puede tener una escena, pero no es una acción que contemplamos con gusto o con tranquilidad. El tratamiento del espacio, un interior, y el desdoblamiento de las figuras (tan agresivo en la que está de cuclillas) son fuente de inquietud y desasosiego. Picasso se aleja de la visión placentera del erotismo que era propia de Matisse o de la visión intelectual de Klimt y se centra en una agresividad elemental y simple.

De las cinco figuras que integran el cuadro, las dos del medio parecen las más fácilmente explicables, y si la de la izquierda puede vincularse a alguna de las figuras prenegroides de 1906, las dos de la derecha, de concepción y colorido mucho más extremados, son las que han hecho suponer a algunos historiadores que podían haber estado influidas por el arte negro. Sin embargo, en el arte negro las máscaras son estáticas y la innovación de Picasso es esta concepción dinámica del rostro. Picasso se planteó el problema de la plasmación del movimiento en la pintura y le dio una solución. La figura de la derecha está «entrando», y la que se halla en cuclillas, se está «volviendo» hacia nosotros.

Estudio para «Les demoiselles d'Avignon»
1907, lápiz y pastel sobre papel,
47,7 × 63,5 cm
Basilea: Öffentliche Kunstsammlung

Este primer boceto está datado entre marzo y abril y realizado con lápiz negro y pastel sobre papel. Picasso plasma una escena en formato horizontal con siete protagonistas: dos hombres y cinco mujeres. Los dos hombres serían un estudiante de medicina que entra en el burdel por la izquierda y un marinero que está merendando sentado en el centro de la estancia.

Picasso utilizó la máscara para sustituir la faz de dos de estas mujeres, creando lo que se ha dado en calificar las «cabezas autónomas». Sin embargo, no revisten carácter ritual o religioso, como cabría imaginar si consideramos que proceden de las culturas africanas. Picasso convirtió la máscara en un objeto estético, con lo que desaparecía por completo el tabú totémico que le es consustancial.

Algo curioso, más todavía por el hecho de tratarse de un prostíbulo y dado el carácter agresivo y provocador de estas mujeres, es que se cubren el sexo: una, avanzando una pierna; dos, con sendos lienzos; la de la parte superior, ocultándolo detrás de una cabeza, y la de abajo, sentándose de espaldas, aunque la postura de abrirse de piernas sin pudor es totalmente descocada. Quizá Picasso intuía que la mayor impudicia de la mujer no reside en desnudarse, sino en levantar los brazos y mostrar las axilas. ¿Qué hay en las axilas que tanto nos inquieta? El descubrimiento del sexo donde no lo hay. El sexo más secreto, por inesperado.

Por lo que al cromatismo se refiere, ni los bocetos preparatorios, ni las obras precedentes, podían dejarnos entrever el uso estridente del color. Picasso colocó color al unísono con la forma, y el color es estridente donde también lo es la forma. Tanto los azules como los rosas o los ocres nada tienen que ver con los representados con anterioridad. Ahora los reinventaba y los creaba de nuevo. Son colores limpios. La presencia simultánea de elementos primaverales, estivales y, posiblemente, otoñales (muy patentes en las frutas del bodegón del primer término, evocadoramente erótico, por otra parte) dilata, en el sentido temporal, la

superficie espacial del cuadro y se convierte, así, es uno de los elementos perturbadores. De este modo introdujo en el cuadro un nuevo concepto, el del ritmo terrenal o tiempo natural.

Lo que más nos choca de esta obra es su estética. Las mujeres dejan de ser hermosas, de pronto, para convertirse en monstruos. El cuadro en su conjunto produce una conmoción, un shock: el shock de las axilas, el shock de los colores, el shock de los estilos que se enfrentan de derecha a izquierda. Picasso creó una atmósfera a través de los colores del fondo. Cada uno de los fragmentos de lienzo azul es un cuadro abstracto y estos azules iluminan con claridad la piel de las dos mujeres del centro, mientras que las cortinas rojas y terrosas iluminan a las otras tres con diferentes tonos rojizos. El cuadro, con sus mujeres estáticas, a pesar de sus posturas y sus gestos, tiene un movimiento sorprendente, extraordinario. Lo producen la distribución de las figuras y de los fondos de numerosos colores: terroso, rojo, morado, azul, amarillo, azul sucio, gris claro, gris oscuro y negro. De este modo creó Picasso el movimiento dialéctico entre las figuras y los fondos.

El gesto primordial que preside la ejecución de esta obra es la destrucción del ideal de belleza helenística o mediterránea, que él mismo había conseguido y preconizado meses antes en algunas obras de Gósol. Por este motivo, *Les demoiselles d'Avignon* no pueden explicarse como una evolución de la etapa gosoliana, sino como una ruptura, una revolución. Picasso sentía la necesidad de romper, contradecir y liberarse de unos cánones anteriormente aceptados y buscados.

Estudio para «Les demoiselles d'Avignon»
1907, acuarela sobre papel,
17,5 × 22,5 cm
Filadelfia: Museum of Art

Esta acuarela está ya muy próxima al cuadro definitivo. Los personajes masculinos han desaparecido. Se mantiene el formato horizontal, más narrativo. Ha sustituido al estudiante por una figura femenina; ha alterado la disposición de la figura sentada y gira la cabeza a la que está en cuclillas. También realiza el ensayo de lo que será la gama cromática final.

Hacia el cubismo

Un hecho trascendental para la carrera de Picasso es la aparición en su vida de un personaje decisivo, el marchante y promotor Kahnweiler, alemán instalado en París desde 1907, que poseía una pequeña galería en el 28 de la rue Vignon.

Antes de finalizar *Les demoiselles d'Avignon*, Picasso realizó un *Autorretrato*, en el que vemos agudizadas las formas angulosas que determinarían un paso más allá de cuanto había realizado hasta el presente. En el mes de junio se suicidó el pintor alemán Wiegels en el Bateau Lavoir. Picasso pintó la *Naturaleza muerta con calavera*, a modo de *vanitas*.

Entre las obras de finales de 1907 y 1908 cabe destacar *Desnudo con toalla*, *La amistad*, *Tres mujeres*, *La dríada (Desnudo en el bosque)*, *Desnudo en pie*, todas ellas de tamaño considerable y precedidas de una serie de dibujos y bocetos preparatorios. Casi todas guardan una profunda relación con el gran cuadro de *Les demoiselles d'Avignon*, en ocasiones incluso temática.

En esos años Picasso alcanzó un reconocimiento que, si bien no puede competir con el de Matisse, empezaba a ser suficientemente importante. No se trataba del gran público, sino de unos buenos aficionados que le apoyaban con sus compras y su opinión. Como ya sabemos, los primeros en adquirir sus obras habían sido Leo y Gertrude Stein. Otro gran aficionado era Serguei Choukine, quien en 1914, cuando estalló la Primera Guerra Mundial, poseía la mayor colección de obras de Picasso del mundo: un total de 51 cuadros. La colección, nacionalizada, ingresó en los fondos del Museo del Ermitage de San Petersburgo y del Museo de Bellas Artes Pushkin de Moscú. También otro ruso, Iván Morosov, coleccionista de pintura moderna, adquiriría algunas de sus obras más importantes, entre ellas el *Retrato de Ambroise Vollard*.

La mujer agresiva y con un cierto grado de ferocidad seguiría protagonizando las obras de Picasso en el que algunos historiadores han calificado como Período Negro. *Desnudo con paños* es un ejemplo inmejorable. Se trata de una obra que recuerda en ciertos aspectos a *Les demoiselles d'Avignon*, pero que introduce notas nuevas, que ahí sólo estaban apuntadas. Se plantea también el problema de una figura femenina echada erguida, ahora con partes del cuerpo de frente y otras de perfil. El esquema espacial es una prolongación de la figura y ésta una prolongación de aquél. Todo es plano y se acentúa todavía más gracias al plumeado, más intenso en las sombras. La forma casi desaparece bajo las tramas estructurales. En esta obra la influencia del primitivismo africano y oceánico se hace más patente.

Desnudo en pie anuncia un camino que se desarrollaría en *Tres mujeres* y *La dríada*, en el que se reconoce la huella de Cézanne, que se haría más evidente en los bodegones de este mismo año y en *Cinco mujeres (Bañistas en el bosque)*. Según acabamos de mencionar, *Tres mujeres* parte de la influencia cezanniana, como muestran los bocetos iniciales, que se inspiran claramente en sus bañistas. Sin embargo,

Picasso pronto hizo que desaparecieran las características fundamentales de Cézanne: la importancia de la naturaleza, la distancia con respecto a la escena, la armonía y autonomía de los cuerpos… Picasso redujo el número de bañistas, las acercó al primer plano, eliminó la naturaleza, aplanó la escena e introdujo cierta ambigüedad en los cuerpos de los personajes que nadan en la indefinición sexual.

Entre las ya citadas, *La dríada (Desnudo en el bosque)* presenta a una mujer mítica que habita en el bosque, confundida con los árboles y ataca a los hombres que se aventuran por esos caminos. Se trata de una obra maestra que pone de manifiesto cambios importantes. Los miembros de *La dríada* se componen como los de un mecano, los planos cromáticos, bien definidos, organizan las superficies, y sus encuentros, en ángulo, producen una intensa y geométrica sensación de volumen y solidez. Aquí también encontramos muchos rasgos pertenecientes al arte africano. Picasso construyó (en toda la literalidad de la palabra) una figura en la que los escorzos se aplanan y los volúmenes se convierten en aquello que articula los planos segmentados. Esta agresiva mujer del bosque alcanza el carácter agresivo, precisamente, a partir de los rasgos plásticos, del modo como se construye la imagen.

Frutero y pan sobre una mesa
1909, óleo sobre lienzo, 164 × 132,5 cm
Basilea: Kunstmuseum

En esta etapa Picasso acentúa su interés por los paisajes y por los bodegones, algunos de ellos de vital importancia en su camino hacia el cubismo y que, en ocasiones, todavía presentan fuertes reminiscencias cézannianas. La geometrización de los elementos es cada vez más evidente, aunque sin llegar a la complejidad que encontraremos más adelante.

La dríada (Desnudo en el bosque)
1908, óleo sobre lienzo, 185 × 108 cm
San Petersburgo: Museo del Ermitage

Podemos reconocer aquí muchos rasgos procedentes del arte africano. Picasso ha construido una figura en la que los escorzos se aplanan y los volúmenes se convierten en lo que articula los planos segmentados. Esta mujer adquiere su condición de «agresiva» a partir de los rasgos plásticos, del modo en que construye su imagen. Y nunca mejor dicho «construir».

Hay reminiscencias de Cézanne en la construcción de los planos de luz y de sombra que utiliza para representar los volúmenes y el espacio que componen el cuerpo como si de una pieza arquitectónica se tratase.

Picasso definió el cubismo como «un medio para decir las cosas del modo que me parece más natural». El rechazo de lo clásico en favor de una mayor fuerza expresiva formal coincide con la renuncia a utilizar la perspectiva tridimensional clásica: el espacio (las dos dimensiones) está constituido por la intersección de los planos.

Picasso siguió reflexionando y ampliando las experiencias acumuladas durante el verano de 1908 en que, junto a Fernande, recaló en un pueblecito situado 60 km al norte de París: La-Rue-des-Bois. Allí siguió desarrollando un esquema compositivo severo, deliberadamente simplificado, acompañado de una construcción geométrica rigurosa.

En octubre, Apollinaire llevó a Braque al Bateau Lavoir, y la contemplación del *Desnudo con paños*, que Picasso acaba de finalizar, le inspiraría su *El gran desnudo*. Pronto uniría a Picasso y Braque una gran amistad y juntos trabajarían intensa-

mente en la búsqueda de soluciones compositivas nuevas, iniciándose así una de las más fructíferas colaboraciones de toda la historia de la pintura. Picasso y Braque unieron sus esfuerzos en pro de la investigación cubista, vinculación que duraría hasta 1914.

El 9 de noviembre, Braque inauguró una exposición en la Galería Kahnweiler, en la que mostró los paisajes realizados durante el verano en L'Estaque y, también, una serie de naturalezas muertas. Apollinaire presentó el catálogo. El crítico Louis Vauxcelles, al comentar la exposición en la revista *Gil Blas*, del 14 de mayo, reprobaba al artista que todo lo redujera a «pequeños cubos». Al año siguiente, el mismo crítico emplearía el término *cubismo*.

Durante todo el invierno de 1908 y la primavera siguiente, la producción de Picasso en París se reveló, una vez más, escuetamente cezanniana y más pictóricamente pura.

La mirada en Cézanne

En el verano de 1909, Picasso volvió con Fernande a Cataluña y pasó sus vacaciones en casa de Manuel Pallarés, en Horta de Ebro (que pasaría a llamarse Horta de San Juan por el capricho de un alcalde). Ese verano fue fundamental para el nacimiento del cubismo. Después de este viaje, Picasso diría que en Horta había aprendido todas las cosas útiles que luego sabría hacer en su vida. Allí Picasso realizó una serie de paisajes construidos a base de bloques encuadrados y simplificadas formas geométricas ensambladas. Ocre, gris y verde tenue fueron los únicos matices admitidos por una pintura que tendía, cada vez más, a utilizar el color solamente para acentuar la capacidad de la forma. Surgió así el llamado *cubismo analítico*: la fase que buscaba fraccionar la forma en sus elementos esenciales (por consiguiente, analizarla) descomponiendo geométricamente los planos. El abandono de la perspectiva tradicional era ya total.

En *El depósito de agua - Horta de Ebro* o en *La fábrica de Horta de Ebro* Picasso estableció una estructura compositiva unitaria para toda la imagen y resolvió los planos iluminados y sombreados por facetas. El resultado fue, finalmente, un paisaje, aunque no lo sea desde el punto de vista figurativo tradicional, sino una construcción monumental que tiene algo de las ciudades que los prerrenacentistas italianos pintaron en sus frescos.

De regreso a París, comenzaría una serie de bodegones, como *Naturaleza muerta con sombrero (Homenaje a Cézanne)*, que, evidentemente, revela una fuerte presencia cezanniana, y *Naturaleza muerta con frutero sobre una mesa*, y nuevamente regresó a la figura humana con *Bañista*, *Mujer con mandolina* y *Mujer con abanico*.

Fábrica de Horta de Ebro
1909, óleo sobre lienzo, 53 × 60 cm
San Petersburgo: Museo del Ermitage

Diez años desde su primer contacto con el campo de Tarragona, regresó a la aislada calma de Horta de Ebro. Su retina, tras los grandes descubrimientos realizados en París, hizo que viera el entorno bajo una nueva luz. No se trataba ya de reproducir la imagen de la apariencia, sino de una realidad objetiva: dotar a cada experiencia de vida propia.

El cubismo pleno

A pesar de que la fase de vigencia del cubismo, de 1907 a 1914, puede parecer pequeña como para tener que distinguir varias etapas en su desarrollo, la capacidad de trabajo de sus figuras principales, Braque, Picasso y, con posterioridad, Gris, unida a las posibilidades de expresión en razón, precisamente, de la novedad y la radicalidad, hacen aconsejable la división para facilitar su comprensión, como hizo el propio Gris al acudir a una distinción entre cubismo analítico y cubismo sintético.

Cooper, por su parte, prefiere hablar de cubismo verdadero, divisible en tres etapas: temprano (1906-1910), pleno (1910-1912) y tardío (1912-1914).

En cambio, Apollinaire distinguía entre un cubismo científico, el de los tres representantes citados anteriormente; cubismo órfico, con Delaunay, Léger, Picabia y Duchamp; un cubismo físico, con Le Fauconier, y un cubismo instintivo, el que hace cualquiera.

Analizando la fase experimental de Picasso, con *Les demoiselles d'Avignon*, y su etapa protocubista o cezanniana, pasaremos a explicar el cubismo pleno en sus dos vertientes, analítica y sintética.

El cubismo analítico

Al regreso de Horta de Ebro se trasladó a vivir al número 11 del boulevard de Clichy, y a finales de año comenzó a pintar el *Retrato de Ambroise Vollard*. Aplicó el cubismo analítico a otros retratos, como el *Retrato de Wilhelm Uhde*, en el que, al igual que en el anterior, podemos observar que la fragmentación de los planos no destruye el parecido.

A finales de junio, viajó con Fernande a Barcelona y luego fueron a Cadaqués, a casa de su amigo Ramón Pichot. En julio se unieron a ellos Dérain y su mujer. En septiembre, regresó a París y pintó el *Retrato de Henry Kahnweiler*, mucho más abstracto que los anteriores. En estas obras, como ya sabemos, las formas aparecen fraccionadas, como astillas, la superficie del lienzo está constituida por diminutos planos intersecantes, semejantes a una tupida tela de araña. Picasso se esforzaba cada vez más por resolver el problema de la dinámica espacial sobre la superficie plana del lienzo. El procedimiento consistente en la destrucción del aspecto externo, aparente, de la figura humana o de los objetos, condujo a creaciones de difícil lectura, casi herméticas, entroncadas con la abstracción. El resultado que obtuvo con los retratos se pone de manifiesto en cuadros profundamente llamativos, como *Mujer desnuda* y otra versión de *Mujer desnuda*, en los que convierte el cuerpo humano en una construcción monumental. Aunque en ellos adivinamos la estructura corporal, lo que nos impresiona es, ciertamente, la monumentalidad de la construcción.

Retrato de Ambroise Vollard
*1909-1910, óleo sobre lienzo, 92 × 65 cm
Moscú: Museo de Bellas Artes Pushkin*

Se dice que Vollard era un hombre peculiar: pasaba su tiempo durmiendo y rechazando a los clientes que osaban molestarle. Vivía en un cuchitril por el que tenía que deslizarse casi a cuatro patas entre montañas de lienzos. Este retrato, pese al riguroso tratamiento cubista, tiene un parecido excepcional con el marchante de «hocico» de bulldog.

En algunos de estos retratos, Picasso se permitió dar algunas pistas que son claves para permitir la identificación del modelo: la nariz chata de Vollard, un reloj, un pañuelo… Pero no es suficiente. Tanto Picasso como Braque sabían que corrían el riesgo de perder el contacto inmediato con la realidad y mostraron un renovado interés hacia el objeto trivial de la vida cotidiana, desde el vaso a la botella de licor; desde la pipa al instrumento musical. De ello es un claro exponente *Vaso, botella, pipa e instrumentos musicales sobre un piano.*

La actividad del artista era enorme y se sucedieron pinturas semejantes y diferentes, en un continuo proceso de experimentación. Trabajó sobre el concepto de continuidad/discontinuidad espacial, hizo variaciones sobre el formato y experimentó con el ovalado, como en *Copa, violín y abanico*; *Hombre con pipa* o *La mesa del arquitecto.*

El panorama artístico de Picasso se iba haciendo cada vez mayor, en parte también gracias a que Kahnweiler comenzó el envío sistemático de obras de sus artistas a diferentes galerías europeas, y eso hizo que aumentase su prestigio.

En abril se inauguró el Salón de los Independientes, con un gran contingente cubista; sin embargo, Picasso y Braque no fueron invitados.

Mujer en un diván
1910, óleo sobre lienzo, 94 × 75 cm
Praga: Galería Nacional

Ni Picasso ni Braque estuvieron presentes en los salones de esos años, ya que conocían la hostilidad de público y crítica ante su obra. En 1910 apareció en París un nuevo admirador y coleccionista: el médico V. Kramár, quien tuvo la visión de adquirir la magnífica colección de obras cubistas que hoy pertenecen a la Galería Nacional de Praga.

A principios de julio, emprendió viaje en solitario a Céret, invitado por Manolo. Se instaló en casa de Delclos. Al mes siguiente llegaron Fernande, Braque y también Max Jacob. Era un momento de estrecha colaboración entre Picasso y Braque, que empezaban a introducir en las obras elementos correspondientes a la realidad externa. Por el momento, la fórmula parecía consistir en la inclusión de detalles naturalistas, signos tipográficos, números, letras del alfabeto y, a menudo, fragmentos de títulos de periódico, como por ejemplo en *L'Indépendent*, en el que al tema de la mesa del café abarrotada de objetos se une ahora la inclusión de letras para hacer más inteligible la obra.

El Salón de Otoño dedicaría una sala al cubismo, pero tampoco en esta ocasión fueron invitados ni Picasso ni Braque.

Ese mismo otoño, Picasso inició su relación sentimental con Eve Gonel (Marcelle Hubert), compañera del pintor polaco Louis Markous, conocido como Marcoussis. Fueron presentados por Apollinaire en casa de los Stein. Picasso la llamaba *«Ma jolie»*, haciéndose eco de una canción de moda. Realizó el primer retrato de Eve en *Mujer con guitarra. Ma jolie*. También pintó *Hombre con mandolina*, una de las nueve composiciones monumentales de la serie.

En enero de 1912, participó en Moscú en la exposición Valet de Carreau; en febrero, en Munich, en la segunda exposición de Der Blaue Reiter, y en la primavera, en la Sezession de Berlín. En mayo, marchó con Eve a Céret; en junio, se instalaron en Sorgues, en la Ville des Clochettes, al norte de Aviñón, y, al mes siguiente, se les unieron Braque y su mujer. A comienzos de septiembre Picasso fue a París para trasladar su taller del Bateau Lavoir al número 242 del boulevard Raspail, donde el marchante Kahnweiler le había proporcionado un nuevo local. En su ausencia, Braque realizó el primer *papier collé*. Durante los últimos días de su estan-

El «aficionado»
1912, óleo sobre lienzo, 135 × 82 cm
Basilea: Kunstmuseum

En las obras de este período, Picasso convierte el cuerpo humano en una construcción monumental. Adivinamos la estructura corporal, pero es la monumentalidad de la construcción la que nos impresiona. Trabaja planos de continuidad/discontinuidad, y el efecto rompecabezas llega al infinito. Su aspecto es totémico, imponente.

Naturaleza muerta con silla de rejilla
1912, óleo y collage sobre lienzo,
29 × 37 cm
París: Museo Picasso

Este pequeño cuadro ovalado, enmarcado con un rollo de cuerda de cáñamo, es una total especulación metafísica: la rejilla que parece real, es falsa; las letras del periódico tienen un propósito estético y simbólico; la pipa, la copa y el limón poseen una realidad cubista. Picasso nos pide que disfrutemos de la estética sin poner en tela de juicio la realidad del objeto.

cia en Sorgues, pintó una serie de cuadros con figuras que culminan en *El «aficionado»*. En octubre, regresó a París y se instaló en el boulevard Raspail. Tuvo lugar la exposición de La Section d'Or de la Galería de La Boétie, que reunió más de dos centenares de pinturas cubistas de los tres últimos años y, como era habitual, ni Picasso ni Braque participaron. En diciembre, firmó un contrato en el que se comprometía en exclusiva con Kahnweiler; sin embargo, la relación resultaría interrumpida en 1914 cuando el marchante, ciudadano alemán, se vio obligado a abandonar Francia.

El cubismo sintético

Ese año Picasso realizó su primer *collage*, con la que entramos de pleno en el «cubismo sintético»: *Naturaleza muerta con silla de rejilla*, ambientada en un café y construida con un limón, un vaso, una ostra, un periódico y una pipa. Sobre el lienzo Picasso aplicó un pedazo de hule en el que previamente había grabado el dibujo del mimbre a imitación de la silla de rejilla. En ese momento ya no trataba de imitar la realidad externa, sino de incorporarla directamente a la obra de arte. Otro aspecto revolucionario es la gruesa cuerda de cáñamo que sirve de improvisado marco a la composición.

El *collage* cubista, sobre todo en sus inicios, estaba casi siempre constituido por *papier collé* que, en general, era reaprovechado; si contenía palabras impresas (una tarjeta de visita, un paquete de tabaco), adquiría el carácter de metáfora o de ideograma próximo a lo que sería la poesía visual. La primera consecuencia que observamos es la revalorización del color, que se convierte en una entidad pictórica independiente, aunque contribuye a la construcción tanto espacial como formal de la obra. El hermetismo de la etapa anterior, con toda la dificultad que entraña, queda relevado por el cubismo sintético, de lectura más fácil.

Entre 1912 y 1913 coexistieron las diferentes formas de cubismo y tanto Picasso como Braque realizaron algunas construcciones con materiales humildes e insólitos: latas, alambre, cartón; y así se concretaba una nueva realidad, la del *tableau objet*. La introducción de un material ajeno a lo pictórico que tiene naturaleza de objeto, planteó problemas nuevos y aumentó la complejidad de la imagen gracias al ensamblaje de objetos heterogéneos. La noción de «ensamblaje» no se refiere aquí a una forma de articular la superficie cromática, cosa que ya hemos visto en *Les demoiselles d'Avignon*, sino a la articulación de objetos con naturaleza diferente y que, sin embargo, están unidos en el plano pictórico.

Los *papiers collés* se convirtieron en los verdaderos protagonistas de la organización, creando objetos, espacios y formas pictóricas, una triple función que permite alcanzar la imagen unitaria por caminos diversos jamás recorridos con anterioridad. *Partitura musical y guitarra*, *Violín y frutero* y, de una forma más radical, *Guitarra* y *Hombre con pipa* son algunas de las etapas de esta trayectoria en que los objetos y las formas sustituyen en su función al esquema compositivo. La maestría de Picasso para mantener el equilibrio entre los diversos materiales y formas, para construir con la mayor sencillez figuras de carácter monumental, pero también a modo de parodia y sabiamente irónicas, es muy superior a la de los restantes artistas parisienses. Sólo Braque y Gris iban a ser capaces de crear obras equivalentes.

Para Picasso, un papel pegado, oblicuo, rectangular, puede ser un rostro; una línea puede dividirse y formar una nariz, de la misma manera que un círculo es un ojo y un triángulo una cabeza, como en la composición *Cabeza*. Toda la creación de ese inmenso universo pictórico parece realizada por el azar, como si existiera una coincidencia casual entre todo cuanto compone el cuadro y que hace innecesaria la mano del artista.

Entre febrero y marzo de 1913 tuvo lugar en Nueva York la Armory Show, la famosa exposición que en esta ocasión reunió más de 400 obras modernas, desde Ingres a los cubistas. Algo más tarde, Apollinaire publicaría el célebre ensayo *Les peintres cubistes: Méditations esthétiques*. A mediados de marzo Picasso fue nuevamente a Céret con Eve, Braque, Gris y Max Jacob, y el 3 de mayo viajó a Barcelona para asistir al entierro de su padre. En agosto se trasladó al número 5 de la rue Schoelder de París, y en otoño trabajó en la inclusión de materiales diversos con el fin de dar a sus obras una calidad táctil desconocida hasta el momento, incrementando con ello el efecto cromático, que se convirtió en más brillante y decorativo. De ahí que Picasso comenzase a mezclar el óleo con materiales como el yeso, la arena, el serrín, etc. Así surgieron *Mujer con camisa, sentada en una butaca*, en donde la mujer aparece vista simultáneamente de frente y de lado; los brazos y franjas de la butaca, el borde de la camisa y los cabellos, están logrados con un verismo que alcanza un efecto surrealista, sobre todo por su inserción dentro del fraccionado de la imagen. Y también *Estudiante con pipa* y *Guitarra, periódico, vaso y as de trébol*, por citar algunos ejemplos.

En 1914 comenzó una nueva serie de *papiers collés*. En junio, viajó con Eve a Aviñón y se instalaron en el número 14 de la rue Saint-Bernard. Pintó bodegones en vivos colores, con gran sentido del humor y lirismo. En agosto, Apollinaire, Braque y Dérain fueron movilizados. Kahnweiler viajó a Italia, y la galería de la rue Vignon fue embargada. En noviembre, Picasso regresó a París. El cromatismo de

Guitarra
1913, óleo y lápiz sobre cartón y papel, con lienzo y bramante, 33 × 18 × 9,5 cm
París: Museo Picasso

En una ocasión Picasso afirmó: «El cubismo se ha mantenido dentro de los límites de la pintura y nunca ha pretendido sobrepasarlos. A la forma y al color les damos el significado que les corresponden; queremos conservar en nuestros temas la alegría del descubrimiento, el placer de lo inesperado y siempre tiene que ser una fuente de interés.»

Violín, copa y botella
1913, óleo sobre lienzo, 81 × 54 cm
Colección particular

En los años siguientes, Picasso pintó muchos bodegones conformados por unas geometrías con las que el espectador ya estaba familiarizado. A pesar de la fragmentación del conjunto, los objetos pueden ser reconocidos, ya que están narrados según sus rasgos característicos. No hay invención, es sólo la representación de una realidad distorsionada.

sus pinturas se tornó sombrío, como reflejo anímico del sentimiento de tristeza que le invadía.

En el verano de 1915, Eve enfermó, pero se recuperaría. Picasso pintó el famoso *Arlequín*, composición con grandes manchas geométricas sobre fondo negro. El 14 de diciembre, tras haber sido nuevamente hospitalizada, murió Eve, seguramente de tuberculosis. Para Picasso fue un golpe fatal.

En junio de 1916, presentó *Les demoiselles d'Avignon* en el Salón d'Antin, exposición organizada por André Salmon. Durante el verano se trasladó a Montrouge, al número 22 de la rue Victor Hugo. En esa época Picasso inició su relación con los Ballets Rusos, y en febrero de 1917 viajó a Roma con Cocteau, para reunirse con Diaghilev. Allí, en su taller de via Marguta realizó los decorados y el vestuario para el ballet *Parade*, de Eric Satie. Conoció a Olga Koklova, miembro integrante de la compañía de ballet. Visitó los museos de Nápoles, Pompeya y Florencia, así como los de Roma y, a finales de abril, regresó a París, donde tenía lugar el estreno del ballet, que suscitó grandes controversias. A principios de junio, viajó a Madrid y a Barcelona con la compañía de ballet que más tarde debía iniciar su gira por América del Sur. Olga no prosiguió la gira y se quedó junto a Picasso. En Barcelona, éste pintó una obra que sorprende tanto por su puntillismo como por su cromatismo cálido, *La Salchichona*, y ya en Montrouge, donde se instaló con Olga, *Retrato de Olga en un sillón*, de estética realista. Contrajo matrimonio con Olga el 12 de julio de 1918, en la iglesia ortodoxa rusa de la rue Daru, en París.

Retrato de Olga en un sillón
1917, óleo sobre lienzo, 130 × 88 cm
París: Museo Picasso

Olga Koklova, que llamó la atención del artista entre tantas otras, era una bailarina del «corps de ballet» del tiránico Diaghilev. Al conocer a Picasso, su carrera como bailarina profesional tocó a su fin. El pintor utilizó en este retrato los recursos sutilmente seductores de su naturalismo para expresar la belleza suave y de serenidad inexpresiva de la joven rusa.

De la Época Antigua a Boisgeloup

Las bañistas
1918, óleo sobre lienzo, 27 × 22 cm
París: Museo Picasso

Picasso acababa de contraer matrimonio con Olga, y la felicidad de esta relación, la tranquilidad de la playa de Biarritz, el ambiente que le rodeaba, influyeron en la alegría que desprenden las imágenes que expresó mediante figuras femeninas en la playa disfrutando del sol y del agua y también de su propio cuerpo en libertad.

Las circunstancias de la guerra crearon en Francia un clima de cierta prevención hacia los extranjeros. Posiblemente por prudencia, Picasso abandonó el cubismo, que tenía un cierto aire revolucionario, y comenzó a interesarse por el mundo clásico que acababa de conocer directamente en Italia. Sin embargo, el cubismo impuso una imagen que pronto sería un hito y que iba a invadir campos tan distantes, conceptualmente hablando, como el diseño, la ilustración, la arquitectura y la moda. Todo ello imprimió un nuevo giro a lo que ha dado en llamarse «modernidad», cambiando la estética del mobiliario, de la caricatura, etc., y creando un mundo de imágenes que llega hasta nuestros días.

La época clásica

Quizá la primera obra de gusto clasicista la encontremos en *El pintor y la modelo*, que no finalizó o que, tal vez, consideró acabada. Y tampoco termina una etapa radicalmente, como ya hemos visto que ocurría con la Azul y la Rosa. Ahora iniciaba un período clásico, pero sin olvidar todo su bagaje, y así, en años sucesivos veremos obras como *Tres músicos* y *Tres máscaras músicas*, de marcado sentido irónico y festivo y, entre 1924-1925, bodegones en los que seguiría utilizando el cubismo. A partir de este momento es cada vez más difícil delimitar la obra de Picasso por épocas. Unas y otras se suceden, se imbrican, se interrelacionan y son interdependientes. La mítica Edad de Oro que Picasso nos ofrece, su Grecia reinventada, está poblada de escultores y pintores, musas y modelos, sátiros y minotauros. El artista recrea un mundo de plenitud, sin prejuicios y de sexualidad plena. Es evidente que aquí no hay crisis, ni injusticia, y la única violencia es la del erotismo. En este momento es válido el tópico de la mujer como objeto de deseo.

En Biarritz, donde se instaló de recién casado en la villa La Mimoserie, pintó *Las bañistas*, colorista, desenfadada y con movimiento, en la que mantiene ciertas distorsiones anatómicas y recrea la espléndida cabellera al viento de la bañista que está en pie. También en Biarritz conoció a Paul Rosenberg, que pasaría a ser su marchante. Regresó a París e instaló taller y vivienda en dos pisos del número 23 de la rue de La Boétie, donde inició una vida más aburguesada y con un cierto lujo. Pintó un *Pierrot* que aparece con la cara sin maquillar y ataviado a la manera de la *Commedia dell'Arte*.

Bodegón con jarro y manzanas pertenece a la producción del año siguiente. En mayo viajó a Londres para colaborar nuevamente con Diaghilev en *El sombrero de tres picos*, con música de Manuel de Falla. Son años de intensa relación con los Ballets Rusos, para los que realizaría diferentes trabajos y los retratos a lápiz de Diaghilev, Manuel de Falla e Igor Stravinsky, de acentuado neoclasicismo, casi a la manera de Ingres. Este contacto con el mundo de los Ballets Rusos convirtió a

Picasso en una estrella de la vida social europea, hizo que se acostumbrase a las relaciones mundanas e, incluso, que se vistiera de etiqueta. Es evidente que se produjo un cambio en sus posibilidades económicas, y en verano fue con Olga a Saint-Raphael. A finales de año, pintó *Los enamorados*, en homenaje a Manet.

A comienzos de 1920, Kahnweiler regresó a París y en septiembre inauguró su nueva galería en el número 29 bis de la rue d'Astorg. De esta época es *La gran bañista*.

El 4 de febrero de 1921 nació Paul y en abril se publicó la primera monografía sobre Picasso, escrita por Maurice Raynal. En junio, se instaló con Olga y Paul en Fontainebleau. Allí pintó las dos versiones de *Tres músicos*, así como *Tres mujeres en la fuente*, y en la misma línea clasicista, *La lectura de la carta* y *El baile aldeano*, obras en las que investiga sobre el volumen.

Al año siguiente, pasó una temporada en Dinard, donde pintó *Dos mujeres corriendo por la playa (La carrera)*, en la que los miembros y los cuerpos se desarrollan y crecen mostrando una fuerte energía y dinamismo. En esta escena la comunión con la naturaleza alcanza una de sus cotas máximas y los valores plásticos adquieren gran importancia.

En 1924, retomó la temática de los arlequines, con *Arlequín (Retrato de Jacint Salvadó)*, así como con *Paul vestido de arlequín*, muy próximos a la concepción estilística del *Pierrot* de 1918. Pasó el verano en Cap d'Antibes y allí realizó *La flauta de pan*. Estos dos jóvenes de cuerpo voluminoso no proyectan sombra alguna, se recortan sobre un fondo azul, participan de la luz intensa y de la cla-

Dos mujeres corriendo por la playa (La carrera)
1922, gouache *sobre contraplacado,*
34 × 42,5 cm
París: Museo Picasso

Esta obra puede clasificarse dentro del ciclo de «los gigantes». Dos grandes matronas tetudas, de extremidades monstruosamente hinchadas, carnes de un rosa obsceno bajo sus túnicas desatadas, corren con los brazos agitados por encima de la cabeza, a lo largo de la orilla de un mar cuyo azul se confunde con el cielo.

Paul vestido de arlequín
1924, óleo sobre lienzo, 130 × 97,5 cm
París: Museo Picasso

*En este retrato el pintor detalla con finura
el rostro delicado de su hijo, dándole
relieve. Parte del sillón, al igual que los
pies del niño, están simplemente apuntados
por el dibujo. El vestido, cuyos colores
encierra en un damero romboidal, sugieren
el cuerpo del muchacho. El pintor
multiplica los efectos, pero sin dejarse
llevar por el manierismo o por el
virtuosismo.*

ridad del mar, que nos hace ver el carácter mediterráneo de esta obra. Es un momento en la trayectoria del artista en que disfruta de la vida, de su vitalidad, así como de la representación gozosa de las cosas cercanas: Olga, su hijo Paul y sus amigos.

Continuó pasando sus veranos en la Costa Azul, ahora en Juan-les-Pins, en la villa La Vigie, y colaborando con los Ballets Rusos.

Picasso y el surrealismo

En 1925, entró en contacto con Breton, que le arrastraría, en cierto modo, a la aventura del surrealismo y en enero se reprodujeron dos páginas de sus dibujos en el segundo número de *La Révolution Surréaliste*. En junio, terminó *La danza*, que supuso la culminación de las propuestas cubistas fundidas con el naturalis-

El tema ocupa gran parte de la producción picassiana. La pareja, de perfiles ondulados y blandos como de una ameba con seudópodos, se encaja pegajosamente en besos que deforman las bocas convertidas en vulvas. Es la erótica de la pasión, el momento en que la atracción sexual se transforma en ferocidad, en la necesidad posesiva de devorar.

mo. Se trata de una composición festiva, delirante y algo inquietante, que nos hace pensar en su relación con el mundo surrealista. En esta obra se aprecia un movimiento frenético, explosión del ritmo (casi podemos oír la música de jazz) y gran disonancia cromática. Esta obra se reprodujo en el número 4 de *La Révolution Surréaliste*.

A finales de junio, se instaló en la villa Belle-Rose de Juan-les-Pins y allí pintó *El taller con cabeza de yeso*. La naturaleza muerta como género y el taller como referencia son temas centrales en la obra de Picasso. El taller es el lugar en el que reflexiona, donde se confirma artísticamente, y el bodegón le permite mostrar su virtuosismo artístico. Observamos un elemento cubista en el tratamiento del mantel como si fuera un *collage* y clasicismo en la cabeza de yeso. La forma de las manos y de los pies volveremos a verla en obras de tanta importancia como el *Guernica*, y el paisaje de fondo también será tema a considerar en cuadros posteriores con el tema del taller.

El beso es también de ese momento y responde a la atracción sexual que se transforma en ferocidad. *El beso* es una forma posesiva y cruel de devorar. Las partes del cuerpo, en especial aquellas que poseen una actividad sexual, se convierten en protagonistas de una imagen en que la pareja está descompuesta, como con las piezas mal colocadas. Los ojos se convierten en bocas y vulvas, adquiriendo la autonomía de lo que posee vida propia dentro de una perspectiva agresiva y salvaje formulada por algunos surrealistas.

Poco a poco se va formando otra serie de elementos que aparecerán en obras sucesivas y que pasan a formar parte de la iconografía del artista: *Desnudo sobre un fondo blanco*, *Cabeza de mujer*, *Minotauro corriendo*, *Bañista*, *El beso* y *La nadadora*, que culminan en obras como *Figuras a orillas del mar*, *La mujer del sillón rojo*, *Desnudo acostado* y *Mujer con flor*.

En junio de 1926 se celebró en la Galerie Paul Rosenberg, de París, una exposición que recogía el trabajo de Picasso de los últimos años. En enero de 1927, Picasso conoció a Marie-Thérèse Walter, que tenía, en ese momento, 17 años; era una muchacha suiza rubia, fuerte, sana y deportiva y, de inmediato, se sintió cautivado por ella. Se convirtieron en amantes y le puso un piso en el boulevard Henri IV. En Cannes, durante el verano, realizó los dibujos a tinta china del *Cuaderno de la Metamorfosis*, con bañistas monstruosos y temas sexuales agresivos. En 1928, hizo el gran *collage* del *Minotauro*, que supone la primera aparición del tema. Durante el verano, volvió a Dinard con Olga y Paul y, clandestinamente, Marie-Thérèse. El verano siguiente, compuso el *Gran desnudo del sillón rojo*, que traduce el deterioro de sus relaciones con Olga. En 1930, finalizó *La Crucifixión*, que, en opinión de Pierre Daix es la transferencia del expresionismo onírico al ámbito de la pintura de historia en la que Picasso encuentra la continuidad con el empleo de símbolos y con el desarrollo de su pensamiento respecto al tema de los mitos y el drama del amor, la vida y la muerte, factores importantes en esta época en la que se relaciona con el poeta surrealista Georges Bataille. En la obra están presentes la simbología tradicional de la crucifixión: Cristo y los dos ladrones (aunque estas figuras han sido desplazadas) y en primer término dos soldados que se juegan la túnica a los dados. También puede relacionarse con el sacrificio primitivo al dios-rey. Bataille estaba interesado en la adoración al sol y a la luna, así como por los ritos minoicos, que a Picasso también le atraían a causa de su pasión por el mundo del toro. La cabeza de la parte superior, con la boca abierta, profetiza a las mujeres del *Guernica*.

En julio adquirió el castillo de Boisgeloup, cerca de Gisors. Su popularidad era desbordante; Picasso era un hombre rico que circulaba con un Hispano Suiza y acababa de comprarse un palacio del siglo XVII, donde vivía lujosamente con mucho servicio, tal como le gustaba a su mujer, quien organizaba en el palacio multitud de fiestas… Olga estaba inmersa en el mundo de la fantasía, casada con

el «príncipe de la pintura» y no era capaz de estar junto a su marido en lo que para él tenía auténtico interés: su producción artística.

En otoño Marie-Thérèse se instaló en el número 44 de la rue de La Boétie. Picasso recibió en octubre el premio Carnegie por el *Retrato de Olga de perfil*.

La entrada de Marie-Thérèse en su vida significaría un nuevo cambio de rumbo en su pintura. En marzo del año siguiente terminó el *Gran bodegón del velador*, retrato cifrado de Marie-Thérèse, que sería su musa, estímulo y modelo hasta 1936. A principios de 1935 Marie-Thérèse esperaba un niño, Picasso le pidió el divorcio a Olga, pero ella no se lo concedió. En febrero se inauguró una exposición

Gran desnudo del sillón rojo
1929, óleo sobre lienzo, 195 × 129 cm
París: Museo Picasso

Es una de las obras que puede considerarse paradigmática de las relaciones mantenidas entre Picasso y el surrealismo.
El descoyuntamiento y la deformación de las partes del cuerpo son una constante en cuadros que parecen ingenuos y sutiles, divertidos y, tal vez, crueles. Nos sumerge en la difícil interpretación del mundo de la metáfora.

de *papiers collés* en la Galerie Pierre, con catálogo de Tristan Tzara. A partir de mayo, interrumpió su actividad pictórica y se dedicó a escribir poemas surrealistas. En junio se separó de Olga y en julio le propuso a su amigo Sabartés que fuese a Francia y se hiciera cargo de sus asuntos. Sabartés sería su secretario hasta su muerte, en 1968. El 5 de septiembre nació Maya. En la primavera siguiente viajó a Juan-les-Pins con Marie-Thérèse y Maya. Allí comenzó la serie del *Minotauro*. El 18 de julio estalló la guerra española y Picasso fue nombrado director del Museo del Prado por el Gobierno de la República. En agosto viajó a Mougins y allí inició su relación amorosa con Dora Maar.

Gran bodegón del velador
1931, óleo sobre lienzo, 195 × 130,5 cm
París: Museo Picasso

Se trata de una obra compleja, potente y vigorosa, en la que realiza un retrato cifrado de Marie-Thérèse. Aparece ya el lenguaje de curvas, redondeces y arabescos de estos años en que Picasso está atrapado entre los dos fuegos de sus conflictos sentimentales y está, también, obsesionado por la representación de la mujer.

El tiempo entre guerras: Dora Maar

Dora Markovitch, nacida en Tours, era amiga de Paul Éluard e hija de un arquitecto croata y una mujer francesa. Durante más de un año, Marie-Thérèse y Dora compartieron el mismo amante, pero, finalmente, en 1936, Picasso iría a vivir con Dora, relación que duraría nueve años, hasta 1945, es decir, los años de la guerra de España y de la Segunda Guerra Mundial.

La guerra española supuso para Picasso una preocupación moral intensa, que expresó en terribles imágenes, como la *Mujer llorando*, y en los numerosos estudios que le llevarían a realizar el hito sobre el bombardeo de Guernica.

A comienzos de 1937 corresponde el retrato de *Marie-Thérèse con guirnalda*, así como el *Retrato de Dora Maar*. Vivía entonces entre Mougins y Temblay-Sur-Mauldre, donde Vollard le cedió una finca. Allí realizó numerosos retratos de Marie-Thérèse y, entre otros, el lienzo *Muchachas jugando con un barco*.

El *Guernica*

El gobierno republicano español le invitó a participar en el Pabellón Español de la Exposición Internacional de París con una pintura mural. El 26 de abril bombardearon Guernica, y los periódicos *Ce-Soir* y *L'Humanité* publicaron las fotos del bombardeo en los días siguientes. El 1.º de mayo Picasso empezó a trabajar en la realización de los más de 50 estudios que concluirían con el *Guernica* que, a mediados de junio, se instaló en el pabellón. A finales del mismo año puso fin a las obras que realizaba dentro de la línea del *Guernica*, con *Mujer que llora* y *La suplicante*.

En 1934 las imágenes sobre el tema de la corrida de toros no sólo habían aumentado, sino que experimentaron algunas variaciones importantes. El toro que agrede y destroza al caballo se había convertido, en muchos casos, en protagonista (*Corrida: la muerte del torero*, cuyo caballo es un antecedente directo). En el *Guernica* la escena desarrolla un acontecimiento que ocasionalmente tiene lugar en la plaza, pero lo hace con una intensidad cruel que desborda la anécdota. La violencia más extrema es el motivo central, la brutalidad del toro, su instrumento. Una figura bien distinta, la mujer con un quinqué o una vela, empieza a iluminar estas escenas de violencia. Con *Guernica* inaugura Picasso una temática de gran predicamento en el siglo XIX: la pintura de batallas. Pero Picasso invirtió la tradición. Aquí no hay héroes, sólo víctimas; no hay naturaleza, sólo calles arrasadas; no hay dignidad ni en la victoria ni en el perdón, sólo la atrocidad de lo que sin piedad es arrasado; no hay soldados, guerreros, luchadores, sólo la violencia más desmedida. El artista evita la representación de la anécdota del bombardeo. No se reconocen las imágenes que aparecen aquellos días en los periódicos, pero su violencia es mayor. *Guernica* es la alegoría que adelanta la tragedia de la Segunda

Guerra Mundial, de Dresde, de Londres, de Hiroshima... Picasso se sirvió del toro, enérgico y monumental, del caballo destripado que relincha de dolor, de la maternidad doliente, del guerrero muerto, de la mujer que grita aterrorizada ante el desastre, de la luz que ilumina los acontecimientos, del incendio del bombardeo... y construyó un espacio angustioso en el que los personajes se estiran, crecen desmesuradamente. La intensidad del horror y la violencia se respiran al primer golpe de vista. La iluminación acentúa la violencia descarnada y la ausencia de color hace que este apocalíptico mundo de sombras sea contundente y directo heredero de las pinturas de la Quinta del Sordo. La fuerza de la obra radica en el mundo de desolación y violencia y en el *pathos* que expresa.

Guernica
*1937, óleo sobre lienzo,
349,3 × 776,6 cm
Madrid: Museo Nacional Centro de Arte
Reina Sofía*

*El 27 de abril de 1937 el «Times» ofreció
la noticia: «Ayer por la tarde, Guernica
fue totalmente destruida por un ataque
aéreo. El bombardeo de la ciudad duró tres
cuartos de hora. En ese tiempo una
escuadra de aviones arrojó bombas de
hasta 500 kg, mientras los cazas
ametrallaban a los habitantes que salían
huyendo. Todo quedó envuelto en llamas.»*

Guernica
Detalle

*La interpretación de Picasso convirtió el
suceso en el acontecimiento del siglo, al
incorporar sus propias experiencias a los
hechos ocurridos. No es la actualidad
histórica, ni tampoco la narración del
suceso concreto lo que da validez al cuadro,
sino la consternación que invadió el ánimo
del artista, que hizo posible la plasmación
de la eternidad del sufrimiento.*

Guernica
Detalle

La poesía del ciclo de aguafuertes Sueño y mentira de Franco *termina con estas palabras:*«Gritos de niños, gritos de mujeres, gritos de pájaros, gritos de flores […], gritos de árboles y de piedras, gritos de olores que se arañan, gritos de humo, de los gritos que cuecen en el caldero y de la lluvia de pájaros que inunda el mar que roe el hueso...» Gritos.

Guernica
Detalle

Picasso renuncia a la representación del reportaje del bombardeo. El artista nos narra el gesto de dolor, la impotencia, el desamparo, el miedo, la tragedia y la crueldad de la guerra. El horror de Guernica ha quedado presente en la conciencia colectiva.

En enero de 1938, pintó un *Retrato de Maya con muñeca*, *La niña del barco (Maya Picasso)* y, en febrero, *La mujer del gallo*. A partir de ese momento el gallo aparece en numerosos dibujos y pasteles. En la primavera realizó el gran *collage* titulado *Mujeres en su aseo*. Durante el verano, en Mougins pintó figuras de marineros y *Hombre con sombrero de paja y helado de cucurucho*.

En enero de 1939 murió la madre de Picasso en Barcelona. En mayo se exhibieron en Estados Unidos los estudios preparatorios y el *Guernica*. La exposición, que iría a cuatro ciudades, se inició en la Valentine Gallery de Nueva York. En esos meses pintó una secuencia de mujeres con sombrero: *Busto de mujer con sombrero rayado*, *Mujer sentada con sombrero* y *Mujer con sombrero azul*. En julio fue a Antibes con Dora Maar y se hospedaron en casa de Man Ray; allí realizó *Pesca nocturna en Antibes*, decorativista e irónica que realiza pocos días antes de estallar la guerra. A su regreso a París pintó el *Retrato de Jaime Sabartés con gorguera y sombrero*. En noviembre se inauguró la exposición *Picasso: Forty Years of his Art* en el Metropolitan Museum of Modern Art de Nueva York, organizada por Alfred Barr.

Mujer con gallo
1938, óleo sobre lienzo, 145,5 × 121 cm
Baltimore: Museum of Art

Como tantas otras mujeres de esos años, también ésta presenta una anatomía caótica y dislocada, reveladora de la metamorfosis que el artista impone al rostro femenino y también de los sentimientos contradictorios que éste le inspira. La mujer sostiene un gallo con una expresión que denota una cierta ferocidad en el momento de dar muerte a la infeliz víctima.

Del fin de la guerra española a la Segunda Guerra Mundial

En 1940, Picasso abrió taller en Royan, en la cuarta planta de la villa Les Voiliers. En este pequeño pueblo de la costa atlántica, pintó, paseó y procuró olvidarse de la angustia de la guerra. Gustaba de ir a la lonja de pescadores y al mercado, y recreó en multitud de bodegones todo cuanto veía. Buen ejemplo de ello es el bodegón *Los congrios*, impregnado de gran dramatismo por lo rotundo del dibujo y la sobriedad del color, mientras que en *El café de Royan*, con el puerto pesquero al fondo, nos revela lo que veía desde su taller. Royan quedará prácticamente arrasado en 1944. También trabajó en el cuaderno de bocetos para *Mujer desnuda peinándose*, dislocada, monstruosa, con la cabeza rota y sobre un fondo terroso. Más explícito todavía es *Gato devorando a un pajarillo*, que aparece como una premonición de la guerra, dos días antes del estallido. Durante toda la Segunda Guerra Mundial, abandonó su piso de la rue de La Boétie y se instaló en el taller de la rue des Grands-Agustins. Iba y venía de Royan a París, donde todo era miedo, desolación y desmoralización ante las amenazadoras noticias que llegaban del frente.

Durante el verano del año siguiente, pintó *La mujer en un sillón*, *La mujer de la alcachofa* y *Niño con langosta*. En 1942 murió Julio González y, en homenaje a su memoria, pintó una serie de siete cuadros representando, sobre un fondo de grandes superficies geométricas verdes o violáceas, un cráneo de buey (a modo de *vanitas* y en sustitución de la clásica calavera), de una estremecedora intensidad dramática. Es una sobrecogedora oración fúnebre en la que palpitan el hambre y la crueldad; es el *Bodegón con cráneo de buey*. Trabajó en *Alborada* y en una serie de obras de carácter festivo y alegre como *Le Verd-Galant*, *Gran desnudo acostado* y *El niño de las palomas*, con la que prosiguió su canto a las palomas, que culminaría con la *Paloma de la paz*. En otoño pintó el *Retrato de Dora Maar con blusa de rayas*, y a comienzos del año siguiente, *Busto de mujer con blusa amarilla*.

En mayo conoció a Françoise Gilot y, tras un paréntesis en que trabajó básicamente la escultura, volvió a la pintura. En agosto realizó *Mujer sentada en una mecedora*. Al año siguiente y durante el levantamiento de París, vivió en casa de Marie-Thérèse. El 25 de agosto París fue liberada y Picasso regresó a la rue des Grands-Agustins. Celebró el levantamiento con el pequeño cuadro *La bacanal*, basado en Poussin y en el que personas y animales se confunden en un agitado arabesco. En octubre el periódico *L'Humanité* comunicó la adhesión de Picasso al Partido Comunista Francés. Picasso declaró en el periódico: «Mi adhesión al partido comunista es el resultado lógico de toda mi vida. Me alegra decir que jamás consideré la pintura sencillamente como un arte para dar placer, como una distracción; puesto que eran mis armas, con el dibujo y los colores siempre quise penetrar un poco más en la conciencia del mundo y de los hombres, para que esta comprensión nos libere cada día un poco más.»

Se abrió el Salón de Octubre con una retrospectiva de Picasso; era la primera manifestación del artista en un salón francés y participaba con 74 pinturas y 5 esculturas. Su obra suscitó violentas manifestaciones y protestas, pero también recibió apoyos, como el del Comité National des Écrivains.

En noviembre realizó una serie de bodegones y en febrero del año siguiente trabajó en *El osario*, una especie de masacre de los Inocentes, una evocación de horror y angustia que señala el punto final del drama del *Guernica*; también en esta obra observamos formas expresionistas truncadas y deformadas. Representa un montón de cuerpos muertos en el suelo de una habitación, en la que también hay una mesa con un jarro y una cacerola. Picasso comenzó *El osario* en los últimos meses de 1944 y trabajó en él durante un tiempo no inferior a un año.

Mujer peinándose
1940, óleo sobre lienzo, 130 × 97 cm
Nueva York: Colección particular

Picasso trabajó en Royan en los bocetos de esta mujer peinándose ciertamente monstruosa, dislocada, con la cabeza aguitarrada, las costillas prominentes y un vientre también exagerado, al igual que las enormes nalgas en forma de pera. Son los monstruos de la guerra, una visión apocalíptica de los personajes que pueblan sus cuadros.

Bodegón con cráneo de buey
1942, óleo sobre lienzo, 130 × 97 cm
Düsseldorf: Nordrhein-Westfalen
Kunstsammlung

Para Picasso la muerte de Julio González está estrechamente
ligada al drama español. Pinta, en homenaje a su memoria,
una serie de siete cuadros de estremecedora intensidad
dramática. Son una sobrecogedora oración fúnebre a modo
de vanitas, *en la que el cráneo de buey ha desplazado a la*
calavera tradicional. Ante esta ventana impenetrable se
siente la opresión, la desolación y la amenaza de la guerra.

La época de Dora Maar es, por excelencia, la de sus creaciones literarias, que habían comenzado con los poemas en castellano y que culminarían con *El deseo cogido por la cola*, obra de teatro escrita en francés, estrenada en casa de Michel Leiris en 1944, con Albert Camus como director de escena. Sin embargo, Picasso fue un hombre que escribió constantemente, de forma exhaustiva, al igual que era un pintor exhaustivo; lo era en todo cuanto le interesaba en la vida y le inspiraba pasión y vehemencia.

Algunos creen que la afiliación de Picasso al Partido Comunista fue una postura política de conveniencia; sin embargo, él siempre dejó claro su modo de pensar y dio muestras de su valentía con su vida, su obra y sus escritos. En plena ocupación, publicó en *Les Lettres françaises* un texto en el que se puede leer: «¿Qué creéis que es un artista? ¿Un imbécil que no tiene más que ojos, si es pintor, orejas, si es músico, o lira en todos los estratos del corazón, si es poeta? Muy al contrario, él es al mismo tiempo un ser político» y acaba afirmando que la pintura «es un instrumento de guerra ofensivo y defensivo contra el enemigo».

El osario
1944-1945, óleo y carboncillo sobre lienzo, 199,8 × 250,1 cm
Nueva York: Museum of Modern Art

Es la segunda vez que Picasso representa la angustia colectiva. Se trata, al igual que el Guernica, *de una «masacre de los inocentes», una evocación del horror y de la angustia. Representa un montón de cuerpos muertos, posiblemente por fuego, en el suelo de una habitación.*
Estas imágenes, en armonías de grisalla, establecen la clave apropiada para un réquiem.

Françoise Gilot

Pastoral. La alegría de vivir
1946, óleo sobre fibrocemento,
120 × 250 cm
Antibes: Museo Picasso

Podemos comparar esta obra con el
Nacimiento de Venus *de Botticelli,*
porque también está presidida por una
mujer desnuda frente al mar rodeada de
personajes. Aquí no se trata de una mujer
púdica, sino de una vital bailarina
impúdica de grandes pechos, y las figuras
que la flanquean son las convencionales de
la mitología mediterránea: el fauno y el
centauro.

Cuando Picasso descubrió a Françoise Gilot, ella tenía 23 años y era estudiante de letras y de pintura. Se conocieron durante una cena en Le Catalan, a la que Picasso acudió acompañado por Dora Maar y la vizcondesa de Noailles. Le impresionó de tal forma al artista, que ordenó que le enviasen una cesta con cerezas.

Françoise le hizo entrar en una nueva etapa de su vida, que iba a durar hasta 1953. Con ella tendría dos hijos, Claude (1947) y Paloma (1949).

En diciembre se inauguró una exposición conjunta de Matisse y Picasso en el Victoria & Albert Museum de Londres, y el 15 de febrero del año siguiente Art et Résistence en el Museo de Arte Moderno de París. En ella se mostró, además de *El osario*, el *Homenaje a los españoles muertos en Francia*, homenaje de Picasso a los españoles que luchan durante la Resistencia.

A finales de abril empezó a vivir con Françoise y a comienzos de julio viajó a Ménerbes y se instalaron en la casa que Picasso había regalado a Dora Maar. Fue una época feliz y de intensísimo trabajo, que queda perpetuada en la gesta formidable de llenar todo el palacio Grimaldi de Antibes, colgado sobre el mar, de pinturas, esculturas y cerámicas que hacen de él un museo inigualable. En Antibes pintó paisajes y un friso que es la contrapartida al gran dolor del *Guernica*. Es

Pastoral. La alegría de vivir, que marca una nueva etapa dentro de la evolución del artista. En la obra vemos a una esbelta bailarina impúdica, de grandes pechos, que recuerda a Françoise, que cruza los pies y levanta los brazos por encima de su cabellera suelta. Las figuras que la flanquean son las tradicionales del movimiento bucólico mediterráneo: el fauno toca la doble flauta a un lado, el centauro al otro. Las cabras danzan. Al fondo se desliza una barca con vela latina. La imagen de Françoise le inspira una hermosa serie de obras de espléndida claridad, como *Mujer-flor*, que también pertenece a este momento de Antibes. Empezaba ahora su actividad como ceramista en Vallauris y trabajaba en temas mitológicos mediterráneos: faunos, ninfas, sátiros, ménades, centauros y la tauromaquia. En todo este conjunto de obras maestras está contenido el Picasso de lenguaje polivalente, su inagotable habilidad y capacidad, su sentido del juego, su aparente falta de esfuerzo para trazar líneas, componer, disponer los colores y crear ambientes.

Durante el verano de 1948, Françoise y Picasso se instalaron en la villa La Galloise, situada en las colinas de Vallauris, y el 25 de agosto, acompañado por Paul Éluard, el pintor se trasladó a Breslau para asistir al Congreso de Intelectuales por la Paz. Picasso intervino para pedir la libertad de Pablo Neruda, entonces perseguido por el gobierno de Chile. Visitó Cracovia y Auschwitz.

En febrero de 1949 *La paloma* fue seleccionada por Aragon para el cartel del Congreso de la Paz que había de celebrarse en abril en París.

La guerra de Corea vino a desmontar la paz idílica de Antibes y pesó nuevamente sobre su ánimo de pacifista. Cambió una vez más de domicilio en París y se instaló en el número 9 de la rue de Gay-Lussac. *Matanza en Corea* recuerda, por el nombre, la célebre *Matanza de Quíos*, de Delacroix. Es una composición dividida en dos partes, como los *Fusilamientos de la Moncloa* del 3 de mayo de 1808 y, como en ésta, a la derecha están situados los agresores, convertidos ahora en hombres-máquina, como terribles robots que ejecutan a los inocentes: niños temerosos y mujeres embarazadas.

Esa misma guerra forma parte de un proyecto mucho más ambicioso. En 1952 recubrió los muros y la bóveda de una capilla en Vallauris; a un lado pintó la alegoría de *La guerra* y, al otro, la de *La paz*. Quedaría inaugurada el 19 de septiembre de 1959 y convertida en museo nacional.

El 5 de mayo de 1953 se inauguró en la Galleria Nazionale d'Arte Moderna de Roma una importante retrospectiva con catálogo de Lionello Venturi. En ella se muestran los paneles de *La guerra* y *La paz*.

Picasso volvió a reflexionar sobre la historia de la pintura, volvió a Velázquez y a Rembrandt, y esta introspección se concretaría en recreaciones de los grandes maestros que veremos más adelante. La reflexión no es un ejercicio formalista, sino algo que se entreteje con los acontecimientos biográficos que van forjando el futuro.

La cabra
1950, metal, madera, cartón, cerámica y yeso con mimbres, 120,5 × 72 × 144 cm
París: Museo Picasso

Esta obra está hecha totalmente de objetos encontrados: un viejo cesto de mimbre, hojas de palmera, pedazos de esterilla, macetas, trozos de cerámica... Estos objetos no aparecen ya con sus características distintivas, sino que están unidos con yeso y de su conjunto resulta la representación naturalista de una cabra.

La última etapa: Jacqueline

En noviembre de 1953, Françoise dejó a Picasso. Tras su ruptura con Françoise, el artista vivió una etapa pletórica de entusiasmo con Sylvette David, la que creyó su modelo ideal y que encarna el tipo de belleza del momento: esbelta y con un airoso peinado de cola de caballo. Era una jovencita de cuello de cisne, ojos claros y labios perfilados y carnosos, con un cierto aire salvaje al que unía la gracia francesa en el vestir. Era su musa y Picasso realizó numerosos pinturas y dibujos sobre el tema del pintor y la modelo (un total de 180).

De finales de diciembre es *La sombra*, óleo de clara resonancia biográfica en el que introduce la melancolía que marca la distancia entre la sombra y la mujer inaccesible (¿Françoise Gilot?), a la que presenta desnuda y con gozosa claridad.

En el verano de 1954, realizó varios retratos de Jacqueline Roque, a la que parece que conoció quizás en 1952 y con la que se unió íntimamente en septiembre. Con ella contraería matrimonio en marzo de 1961. Así se inició la etapa que algunos críticos han dado en llamar «época Jacqueline»: *Jacqueline con flores*. En septiembre, Françoise y los niños emprendieron viaje a París. Picasso marchó a Vallauris con Jacqueline, después se instalaría con ella en París, en la rue des Grands-Agustins.

En diciembre comenzó las series de variaciones del que será uno de los grandes cuadros de esos años: *Mujeres de Argel*, en donde recreó las odaliscas de Matisse (fallecido el 3 de noviembre), trazadas con gran erotismo. Entre ambos pintores había existido una estimación recíproca y Picasso estaba muy afectado. La organización de esta obra dio paso a otras célebres, como *El taller de La Californie, El estudio* y, sobre todo, *Las meninas*, de Velázquez.

En 1955, Clouzot rodó la película *Le mystère de Picasso*; murió su mujer Olga en Cannes, y compró la villa modernista La Californie, situada en la parte alta de Cannes, con vistas al Golfe-Juan y Antibes. La finca poseía un gran jardín de palmeras y eucaliptos, en el que pronto encontrarían un lugar adecuado sus esculturas. El traslado no fue empresa fácil, puesto que con el paso del tiempo se habían acumulado grandes cantidades de cuadros, carpetas, esculturas, cajas, herramientas y materiales, además de los enseres propios de la casa. Años más tarde, cuando adquirió el castillo de Vauvenarges, cerca de Aix-en-Provence, llegaron allí camiones llenos de muebles y cargamentos de cuadros que ni el propio Picasso había visto durante años, amén de las esculturas de La Californie, que encontrarían emplazamiento al pie de la escalinata principal del castillo. Todavía después se trasladaría a la casa de campo Notre-Dame-de-Vie, junto a Mougins, donde se volvería a repetir todo el protocolo.

Después de *Las mujeres de Argel* apareció la serie de desnudos femeninos *Mujer desnuda con bonete turco, Mujer desnuda sentada, Mujer desnuda en una mecedora* y *Mujer desnuda delante del jardín*, que enlaza con las mujeres desnudas de 1959 y de los años sesenta. En esas obras destaca sobremanera el volumen anatómico, la monumentalidad femenina y, en ocasiones, la melancolía y siempre el ofrecerse de

Retrato de Jacqueline Roque con las manos cruzadas
1954, óleo sobre lienzo, 116 × 88,5 París: Museo Picasso

En muchas ocasiones y hasta el final de sus días, va a ser Jacqueline la modelo del pintor. Esa modelo siempre espléndida llena el cuadro, al igual que llena la vida del artista dándole todo aquello que precisa: apoyo, serenidad, compañía o soledad y, a menudo, la protección que lo aísla de cuanto abruma a Picasso: los curiosos, la fama...

Jacqueline con vestido turco
1955, óleo sobre lienzo, 100 × 81 cm
París: Colección particular

En algunos retratos realizados por Picasso en La Californie, Jacqueline lleva un atuendo turco que recuerda el de Las mujeres de Argel, la recreación que ha realizado de la obra maestra de Delacroix en una serie de 50 variaciones. Destacan los grandes, penetrantes y brillantes ojos oscuros de su última y fiel compañera.

la mujer: estar disponible. Picasso recurre a un trazo bien perfilado de ritmos curvos, un modelado voluminoso que permite la evidente definición entre la figura y el entorno, todo ello en tonalidades claras y, en la última, extrañamente luminosas. La dificultad del lenguaje de Picasso se oculta una vez más tras la sencillez en una hábil captación de sensaciones que no representa, pero que sugiere. En todos estos desnudos la sexualidad se ofrece erótica y desbordante.

En esos años recibió a numerosos amigos y asistió con frecuencia a las corridas de Arles y Nîmes. Entabló amistad con Luis Miguel Dominguín, con quien pasaba largas horas hablando del mundo del toro.

En Cannes realizó una gran serie de pinturas en el taller, entre ellas *Jacqueline en el estudio* y *Los pichones*. Celebró su 75 cumpleaños en casa de Madoura, con los alfareros de Vallauris.

Mujer desnuda sentada
1956, óleo sobre lienzo, 130 × 97 cm
París: Colección paricular

En la serie de desnudos de esos años, Picasso muestra a la mujer erótica y desbordante y en actitud de estar disponible para el hombre: ojos cerrados que propician a la ensoñación, formas redondeadas que incitan a ser acariciadas y piernas cruzadas mostrando o no un sexo que se adivina creado para el placer.

La serie de *Las meninas*

En 1957, llevó a cabo las variaciones sobre *Las meninas*, de Velázquez. Las revisiones o glosas de artistas consagrados comenzaron en 1945 con *La bacanal*, de Poussin, o *Las señoritas a orillas del Sena*, de Courbet, que llevó a cabo en 1950. Como ya sabemos, en 1955 pintó *Mujeres de Argel*, basado en el cuadro homónimo de Delacroix; dos años después, *La merienda campestre*. Pero la más importante de todas estas recreaciones es, sin duda, la de *Las meninas*, de Velázquez, realizada en 1957, entre el 17 de agosto y el 30 de diciembre. No se trata de un solo cuadro, sino de una serie de 58 telas, de las que 44 corresponden a la pintura de Velázquez y 9 se refieren a los balcones de La Californie, entre los que también hay retratos de Jacqueline. Picasso hizo esta versión tomándola desde diferentes aspectos, en visiones de conjunto y otras fragmentarias e, incluso, con alguna variación al margen del tema. Este conjunto es, quizás, el que más ampliamente demuestra la iconografía personal del artista. Reinventó o introdu-

Las meninas de Velázquez
Detalle

La infanta Margarita María era hija de Felipe IV y Mariana de Austria. Cuando Velázquez pintó el cuadro, ella tenía cinco años y era la heredera del trono de España. Su dulzura y fragilidad debieron de cautivar a Picasso, puesto que le concedió un trato preferente y, aun con las distorsiones y transformaciones, conserva su suavidad original.

jo colores, aumentó o disminuyó formas según considerase a los personajes positivos o negativos, etc.

Los colores del cielo, el amarillo solar y el azul claro de la atmósfera sólo se encuentran en los personajes inocentes. La infanta Margarita, que es demasiado pequeña para participar en los agresivos mecanismos de su familia; Maribárbola, inocente, porque no tiene todas sus facultades mentales, y el bufón infantil, Pertusato. Los demás, o serán fúnebres fantasmas en negro y gris o se teñirán de los folclóricos colores de los demonios ibéricos: el rojo, color del fuego, y, el verde, del veneno.

Entre los cambios que introdujo es muy importante el del formato que, si en Velázquez es vertical, Picasso lo hace horizontal, más narrativo, lo que le obliga a bajar los techos, y Velázquez, que ostenta una enorme cruz de Santiago, aparece como un gigante, alto hasta el techo, dejando pequeños a los demás. Es evidente que se trata de una sátira contra el pintor de la casa real, que vivió con la idea fija de mostrar su nobleza para que le fuera permitido entrar en la orden de Santiago. Otro elemento a destacar son los grandes ganchos del techo que evocan a los que en las carnicerías permiten colgar a los animales abiertos en canal. En el original, seguramente están para colgar lámparas, pero Picasso al hacerlos tan desmesurados, cambia su sentido y crea una atmósfera de crueldad que otorga a la estancia el aspecto de una sala de torturas. La atmósfera trágica se ve acentuada por el hecho de que los dos funcionarios aposentadores se han convertido en una especie de féretros puestos en pie, macabros. También sustituye al monumental perro velazqueño por un perrillo faldero, dinámico y entrañable, y otorga al monarca, que se refleja en el espejo, una fisonomía un tanto grotesca. Observando las facciones de los personajes situados en primer término vemos que los inocentes: la infanta, Maribárbola y Pertusano, tienen sus caras redondas, grafismo solar, imagen de aquello que no tiene aristas y, por tanto, no puede hacer daño, imagen, también, de lo agradable y de la feminidad. Las dos doncellas nobles que acompañan a la infanta: María Agustina Sarmiento e Isabel de Velasco, aparecen llenas de pinchos, como rastreras, aduladoras, serviles al absolutismo y nos las muestra como algo agresivo, que hace daño. Conviene anotar que Picasso sumó la serie de *Las meninas* con otra que, aparentemente, no tiene nada que ver, sobre las vistas de las ventanas de La Californie, vecinas del palomar y, por tanto, mensajeras de paz, desde las que podemos ver las aguas claras, azules, los cielos mediterráneos y la abundancia de aves blancas. La correspondencia es transparente. Si la serie velazqueña es una condena al absolutismo, ésta es un elogio de la libertad y de la paz. No olvidemos que Picasso afirma que el Mediterráneo es la libertad.

Fama y universalidad

Ese mismo año, Picasso recibió un encargo para realizar un mural para el edificio de la UNESCO en París: *La caída de Ícaro*. En 1958, pintó *La bahía de Cannes*, tal como la veía desde su finca de La Californie. Pero la ciudad crecía y nuevas construcciones rodeaban su villa; buscó entonces un lugar más tranquilo para trabajar y compró el castillo de Vauvenarges, construido en el siglo XIV y situado junto a la montaña de Sainte-Victoire, que tantas veces inmortalizara Cézanne, cerca de Aix-en-Provence. El 5 de junio del mismo año se inauguró el monumento a Apollinaire en la plazuela de Saint-Germain-des-Prés de París, con la *Cabeza de Dora Maar* de 1941 y, al año siguiente, comenzó las versiones de *La merienda campestre*, basadas en Manet. En 1960 se celebró una importante retrospectiva en la Tate Gallery de Londres, en la que se mostraron 270 obras. En 1961 y tras su matrimonio con Jacqueline, se instalaron en el Mas Notre-Dame-de-Vie, Mougins, desde donde se divisa Cannes, y Picasso celebró su 80 cumpleaños en Vallauris.

En 1962, realizó más de 70 retratos de Jacqueline entre pinturas, dibujos, baldosas de cerámica y grabados. Al año siguiente, pintó una nueva serie de *El pintor y la modelo*, que retomaría en 1965. Se inauguró en Barcelona el Museo Picasso, instalado en un palacio del siglo XV, en la calle de Montcada. Al año siguiente aparecieron las memorias de Françoise Gilot, *Life with Picasso*, que provocaron desavenencias entre Picasso y sus hijos Claude y Paloma. Realizó una larga secuencia de la mujer con gato, en más de 20 telas protagonizadas por Jacqueline, y la maqueta para la escultura monumental destinada el nuevo barrio comercial de Chicago, según una *Cabeza de mujer* de 1962. La versión final en acero mide 20 m de altura, se terminó en 1965 y se inauguró en 1967.

En 1965, Picasso sufrió una operación de estómago en Neuilly-sur-Seine y, después, realizó su último viaje a París. Repuesto de su operación, al año siguiente, volvió a pintar.

En París tuvo lugar una gran exposición con más de 700 obras, que ocuparon en su totalidad el Grand y el Petit Palais (inaugurados para la Exposición Universal de 1900 y que Picasso vio en su primer viaje a París). Entre 1965 y 1966 se realizaron ampliaciones en hormigón, grabadas por Carl Nesjar, de los personajes de *La merienda campestre*, que se instalaron en el parque del Moderna Museet de Estocolmo. En 1966 aparecieron los primeros mosqueteros en su pintura, y la fantasía, el humor y la alegría caracterizan las figuras que tocan la flauta o comen sandía. En 1967, Picasso rechazó su admisión en la Legión de Honor. Trabajó en una

Rembrandt y Saskia
1963, óleo sobre lienzo, 130 × 162 cm
Colección particular

Picasso admiraba a Rembrandt y decía de él que había conseguido texturas de materia y poder expresivo formidables. En los últimos años no se dedicó a pintar su testamento, sino que generó a diario un nuevo tipo de belleza inspirado por el erotismo y la ironía que invadieron las obras de su última etapa, como realizando un guiño a la muerte.

serie de autorretratos. Al año siguiente falleció Sabartés, y Picasso, en su memoria, hizo una donación de 58 cuadros pertenecientes a la serie *Las meninas* y un retrato de su amigo de la Época Azul al Museo Picasso de Barcelona. En estos años realizó una serie de cuadros vivos y coloristas, en los que abordó y entremezcló diversos temas: circo, corrida, teatro, *commedia dell'arte*, que culminan en escenas eróticas teñidas de buen humor y que también rezuman una buena dosis de ironía, como la nueva versión de *El beso*. Fue un año de gran producción pictórica: rostros de mirada intensa, parejas (con predominio del tema del abrazo), desnudos, estoqueadores, fumadores, bodegones... y un recuerdo a Rembrandt: *Figura de Rembrandt y Cupido*. Siguió trabajando en temas de parejas, caras, desnudos, bodegones y la figura humana, que siempre le había interesado, con *Hombre viejo sentado*. En 1970 donó al Museo Picasso de Barcelona todas las obras de juventud que se hallaban en posesión de su familia tanto en Barcelona como en La Coruña.

Christian Zervos redactó el catálogo de la exposición en el Palais des Papes de Aviñón, que se inauguró el 1.º de mayo con 167 pinturas y 45 dibujos. Picasso pintó *La familia* y *El torero (Le matador)*. Al año siguiente celebró su 90 cumpleaños. Con este motivo en la Grande Gallerie del Louvre se presentó una selección de las obras pertenecientes a las colecciones públicas francesas. En 1972, dibujó su célebre *Autorretrato*, donde la cabeza se convierte en una máscara de la muerte con los ojos desorbitados. Sin embargo, la expresión es serena, aunque expectante. Hizo donación al MOMA de Nueva York de *Construcción de alambre*, la escultura realizada en 1928 en homenaje a Apollinaire.

Falleció el 8 de abril de 1973 en Mougins y fue enterrado el día 10 en el jardín del castillo de Vauvenarges. Sobre su tumba su mujer hizo colocar *La mujer con vaso*, bronce de 1933.

El 23 de mayo se inauguró la exposición Pablo Picasso: 1970-1972, en el Palais des Papes de Aviñón, con catálogo presentado por René Char. La muestra permite conocer las últimas obras que el propio artista había seleccionado personalmente para tal evento.

En 1979, una gran parte de las obras más importantes de la colección privada de Picasso pasó a ser propiedad del Estado francés, en concepto de impuestos de herencia. En 1980, el MOMA de Nueva York, con ocasión de su 50 aniversario, celebró la mayor exposición retrospectiva de Picasso. En 1985 se inauguró el Museo Picasso de París en el Hôtel Salé; los fondos del museo están integrados por 203 lienzos, 191 esculturas, 85 cerámicas y más de 3.000 dibujos y obra gráfica.

En la actualidad, se sigue escribiendo sobre su vida y también se continúa investigando sobre su obra: es la inmortalidad. Y, a modo de conclusión, parece indicado cerrar estas líneas con una frase del gran genio: «Ustedes esperan que yo les diga qué es el arte. Si yo lo supiera, no se lo diría a nadie.»

El pintor y la modelo
1963, óleo sobre lienzo, 195 × 130,3 cm
Munich: Staatsgalerie

Durante este año Picasso repitió el tema del pintor y la modelo de manera frenética, obsesiva, como queriendo atrapar todas las ideas que acudían a su mente. La serie le permitió expresar con gran libertad su permanente interés por el significado múltiple del desnudo femenino, que es una clave fundamental en la pintura y en la obra de Picasso.

BIBLIOGRAFÍA

ALBERTI, Rafael: *Los ocho nombres de Picasso y No digo más que lo que digo (1966-1970)*. Barcelona, 1970.

ALBERTI, Rafael: *Picasso en Avignon*. París, 1971.

AMÓN HORTELANO, Santiago: *Picasso*. Madrid, 1973.

BONET CORREA, Antonio, y OTROS: *Picasso, 1881-1981*. Madrid, 1981.

BOWNESS, Alan, y OTROS: *Le dernier Picasso, 1953-1973*. París, 1988.

BRASSAÏ: *Conversaciones*. Madrid, 1964.

CABANNE, Pierre: *El siglo de Picasso*. Madrid, 1982.

CIRICI, Alexandre: *Picasso antes de Picasso*. Barcelona, 1946.

CIRLOT, Juan Eduardo: *Picasso: el nacimiento de un genio*. Barcelona, 1972.

COMBALÍA DEXEUS, Victoria: *Estudios sobre Picasso*. Barcelona, 1981.

DAIX, Pierre: *La vie de peintre de Pablo Picasso*. París, 1977.

ÉLUARD, Paul: *À Pablo Picasso*. París y Ginebra, 1945.

GAYA NUÑO, Juan Antonio: *Bibliografía crítica y antológica de Picasso*. Río Piedras, San Juan de Puerto Rico, 1966.

GLINCHER, Arnold, y OTROS: *Je suis le cahier (Los cuadernos de Picasso)*. Madrid, 1986.

GUILLÉN, Mercedes: *Picasso. El hombre y sus obras*. Madrid, 1975.

INGLADA, Rafael: *Picasso. Antes del azul, 1881-1901*. Málaga, 1995.

LEYMARUE, Jean: *Picasso. Métamorphose et unité*. Ginebra, 1971.

MAILER, Norman: *Picasso. Retrato del artista joven*. Madrid, 1997.

MALRAUX, André: *La cabeza de obsidiana*. Buenos Aires, 1974.

McCULLY, Marilyn: *Picasso. The Early Years, 1892-1906*. Washington, D.C., 1990.

OCAÑA, M. Teresa: *Picasso, la formació d'un geni, 1890-1906*. Barcelona, 1997.

OLIVIER, Fernande: *Recuerdos íntimos escritos para Picasso*. Barcelona, 1990.

PALAU I FABRE, Josep: *Picasso a Catalunya*. Barcelona, 1967.

PALAU I FABRE, Josep: *Picasso por Picasso*. Barcelona, 1970.

PALAU I FABRE, Josep: *Picasso vivent: 1881-1907*. Barcelona, 1980.

PENROSE, Roland: *Picasso (su vida y su obra)*. Madrid, 1959.

PENROSE, Roland: *Propos à Pablo Picasso*. Basilea, 1967.

RAFART I PLANAS, Claustre: *Picasso en Barcelona*. Barcelona, 1999.

RICHARDSON, John: *Picasso: una biografía*. Vol. I, 1881-1906; vol. II, 1907-1917; Madrid, 1995 (vol. I) y 1997 (vol. II).

RUBIN, William: *Picasso in the Collection of the Museum of Modern Art*. Nueva York, 1972.

RUSSOLI, Franco, y MINERVINO, Fiorello: *La obra pictórica completa de Picasso cubista*. Barcelona-Madrid, 1973.

SABARTÉS, Jaime: *Picasso. Retratos y recuerdos*. Madrid, 1953.

SABARTÉS, Jaime: *Picasso, «Las Meninas» y la vida*, Barcelona, 1959.

SCHEPS, Ofir, y OTROS: *Picasso, passion et créations. Les 30 dernières années*. Ginebra, 1998.

VALLENTIN, Antonina: *Vida de Picasso*. Buenos Aires, 1957.

ZERVOS, Christian: *Pablo Picasso*. vol. I, 1932, a vol. XXXIII, 1980.

PICASSO EN LA CRÍTICA

«El arte de Picasso es extremadamente joven. Dotado de un espíritu de observación que no perdona las debilidades de la gente, consigue extraer belleza hasta de lo horrible, y la anota con la sobriedad de quien dibuja porque ve y no porque sabe hacer narices manierísticas.»

Miguel Utrillo («**Pinzell**»), *Pèl i Ploma* (junio de 1901)

———— ◆ ► ◀ ◆ ————

«En cuanto al señor Picasso que, según me dicen, es muy joven, comienza con tanto ímpetu que me hace temer por su porvenir. Podría enumerarse la procedencia de cada uno de sus cuadros: su variedad es demasiado notable. Lo cual no quita que esté bien dotado; pero le aconsejaría, por su propio bien, que no pintara más de una tela al día.»

François Charles, *L'Ermitage* (septiembre de 1901)

———— ◆ ► ◀ ◆ ————

«Picasso, que durante cierto período pareció dotado de gran genio, se extravió en búsquedas ocultas, en las que es imposible seguirle.»

J. Rivière, *Revue d'Europe et d'Amérique* (1912)

———— ◆ ► ◀ ◆ ————

«Un cuadro de Picasso no tiene ley, no posee lirismo, carece de voluntad. Presenta, desenvuelve, trastorna, despedaza, multiplica los pormenores del objeto hasta el infinito. El corte del objeto y la fantástica variedad de aspectos que pueden asumir en su cuadro un violín, una guitarra, un vaso, etc., crean una maravilla análoga a la que nos da la enumeración científica de los componentes de un objeto que hasta hoy habíamos considerado, por ignorancia o por tradición, en su conjunto unitario […] Evitar, como él ha hecho, el estudio de las relaciones, de las fuerzas entre objeto y objeto, equivale a perder la síntesis y el movimiento, limitando la inspiración.»

U. Boccioni, *Pittura scultura futuriste. Dinamismo plastico* (1914)

———— ◆ ► ◀ ◆ ————

«Todas las transformaciones de Picasso se han cumplido, no por exigencias teóricas, sino sólo gracias a su emotividad; sin enunciar preceptos, sino, al contrario, envolviéndose en el silencio, Picasso amplía su visión y extiende su dominio. Desde la juventud había en él una aspiración al infinito a través de consecutivas operaciones: encadenamientos impensados e interrupciones inevitables, cuyos efectos brillan en las obras recientes. No debe perderse esto de vista si se quiere explicar la renovación producida por Picasso a finales de 1905.»

Christian Zervos, *Pablo Picasso* (1932)

———— ◆ ► ◀ ◆ ————

«El genio de Picasso está amasado con energía revolucionaria, y las delicadezas del período rosa no podían bastarle. Ya en 1906, en algunos retratos, se descubre algo de inquieto, de "libertino", como si la piel misma del modelo transparentara una máscara trágica. Y en 1907, *Les demoiselles d'Avignon* concluyen una revolución total contra la tradición, como un manifiesto de desprecio hacia las convenciones, no sólo artísticas, sino también sociales [...] La reducción del espacio al tiempo propuesta por Bergson fue realizada en pintura con la yuxtaposición más que con la composición de elementos de un cuerpo, y, con ello, un ideal renacentista quedaba herido de muerte. La renuncia a los dos ideales de la belleza y del reposo espacial contribuyó de manera singular a la invención del cubismo.»

Lionello Venturi, *Mostra di Pablo Picasso* (1953)

«Si la historia fuera una cosa seria, debería... demostrar que el Pablo Picasso de 1901-1906 sigue siendo el más vivo y más interesante.»

Leonardo Borgese, *Corriere della sera* (23 de septiembre de 1953)

«Quizá sea difícil determinar el elemento común que Picasso admiraba en la escultura negra y en la obra de Cézanne: dos artes, en ciertos aspectos, diametralmente opuestos. Mientras que el escultor negro no se interesa especialmente por el aspecto natural de las cosas, la pintura de Cézanne es el resultado del tipo más agudo de observación visual. Picasso, que quería pintar los objetos como los "pensaba" o expresar la idea que se había hecho de ellos, deseaba traducir lo más completamente posible la naturaleza en la composición formal, y para ello hubo de basarse en el concepto volumétrico implícito en la pintura de Cézanne.»

J. Golding, *Cubism. A History and an Analysis 1907-1914* (1959)

«Picasso pintó gran variedad de telas con el tema de "instrumento musical". En cada caso el objeto real era simplemente un punto de partida para la creación de combinaciones plásticas. Picasso en una ocasión dijo: "Antes una pintura era la suma total de adiciones; mi pintura es la suma total de un proceso de desintegración".»

A. G. Barskaia, *Maestros del Museo del Ermitage* (1970)

«Aun en las pinturas más ricamente coloreadas de Picasso de 1913, los matices tienden a oscurecer su valor, manteniendo el espíritu severo y riguroso que su cubismo preservó en su fase sintética.»

William Rubin, *Picasso in the collection of the MOMA* (1972)

«En más de una ocasión se oyó decir a Picasso: "Estoy por la vida y contra la muerte", y no es de extrañar que el cráneo de toro, símbolo de la soledad y de la muerte, ocupe lugar preeminente en diversos bodegones de los años de la Segunda Guerra Mundial. Concretamente, los de 1945 incluyen también una serie de sencillos y humildes elementos cotidianos no exentos de simbolismo, como soporte de la atmósfera sombría y dramática del momento y, en todo caso, no lejos de la tradición española de los monacales bodegones de Zurbarán y Sánchez Cotán.»

Ana Beristáin, *Puerros, cráneo y jarra* (1981)

«Entre los cuadros vistos por el público figuran algunos desnudos a la orilla del mar, de grandes dimensiones. Construidos según la anatomía inventada por Picasso, se parecen, por su apariencia ósea, a la

Bañista sentada de 1929, salvo en el hecho de que han perdido su aire amenazador y de que la carne oculta totalmente los huesos. Las formas plenas de las mujeres recuerdan la fruta madura.»

Roland Penrose, *Picasso* (1931)

***

«El barroco. Picasso anula el tiempo. Observad esta infanta a caballo que surge, como una extraña intrusión, en sus dibujos de corrida, adornada, sobrecargada de volutas, de trazos coloristas y turbulencias que vienen a sobreponerse al dinamismo de la figura, y a diseminarla, a ramificarla. Ved, sobre todo, esas decenas de mosqueteros, exultantes, coloristas, triunfantes, como una última recapitulación de la virilidad que no habrá dejado de deplorar. Los mosqueteros: torsiones, visión oblicua. Fuga. Conjunción de signos fálicos (la barba, las pipas, las espadas) y de una parada, de un teatro, de un arte de apariencia. Sexualidad masculina, al fin, salvaje y adornada. Insolencia. Ceremonia de gloria. ¿De dónde vienen? ¿De Velázquez? ¿De Rembrandt? ¿De Bernini? En cualquier caso, del Siglo de Oro, del mundo barroco.»

Guy Scarpetta, *Picasso après-coup* (1988)

***

«Picasso: Considerado durante un tiempo como un niño prodigio, jamás se durmió en los laureles, puesto que toda su vida estuvo dedicada a la lucha, siendo, como era, enemigo de la guerra y asumiendo, dignamente, su papel mundial de hombre de la *Paloma de la paz*, firma el final de sus días con un ramillete espectacular lleno de gracia y de osadía después de liberar al dibujo de cualquier atadura estilística y de aplicarle la mayor intensidad cromática colmándolo de vida cuando él estaba ya próximo a la muerte.»

Michel Leiris, *Un génie sans piédestal* (1988)

***

ÍNDICE ALFABÉTICO DE OBRAS